NOTA DEL EDITOR

Arrastrado por la corriente, el diario de Charlie Small apareció en la orilla del río Wyre, en Skippool (Lancashire, Inglaterra). Nadie sabe de dónde procede ni lo antiguo que es. Además, la dirección que figura en él ya no existe, así que si disponéis de alguna información sobre el paradero del niño, por favor, poneos en contacto con el editor.

NOMBRE: Charlie Small

DIRECCIÓN: Ciudad de los gorilas, en algún lugar de la jungla

EDAD: ~~Ocho~~ 400 (o quizá incluso más)

TELÉFONO MÓVIL: 0777432

ESCUELA: St. Beckham's

COSAS QUE ME GUSTAN: Explorar, trepar a los árboles, coleccionar piedras y cráneos de animales, entretenerme con los juegos del ordenador, practicar ciclismo de montaña, ir en patinete y ver la televisión.

COSAS QUE NO SOPORTO: a Danny Rook (un matón), el hígado, las cebollas y St. Beckham's

¡MIS INAUDITAS, ASOMBROSAS, INCREÍBLES PERO AUTÉNTICAS AVENTURAS!

Charlie Small
(de unos 400 años)

LA CIUDAD DE LOS GORILAS

pirueta

Título original: *The Amazing Adventures of Charlie Small: Gorilla City*

Primera edición: marzo de 2009
Segunda edición: octubre de 2012
Tercera edición: agosto de 2013

Av. Marquès de l'Argentera, 17, pral.
08003 Barcelona
www.piruetaeditorial.com

Impreso por EGEDSA
Roís de Corella 12-16, nave 1
Sabadell (Barcelona)

ISBN: 978-84-15235-29-3
Depósito legal: B. 33.456-2011

Si encontráis este libro, **POR FAVOR**, cuidadlo, porque ésta es la única y verdadera narración de mis impactantes aventuras.

Me llamo Charlie Small y tengo, por lo menos, cuatrocientos años, pero en tantísimo tiempo no he crecido. Alguna cosa debió de sucederme cuando contaba ocho años, alguna cosa que no logro entender. Resulta que un día me fui de excursión... y todavía estoy intentando hallar el camino de regreso a mi casa. Y aunque ahora hablo el gorila con fluidez, escupo a varios metros de distancia y me cuelgo de las copas de los árboles del bosque, sigo pareciendo un niño de ocho años normal y corriente.

He viajado al fin del mundo y hasta el centro de la Tierra, luchado contra cocodrilos gigantes, me he enfrentado a enormes simios y he visto criaturas que no podríais ni imaginaros que existen. Quizá os parezca que todo esto es fantasía o mentira, pero os equivocáis. Porque **TODO LO QUE CUENTA ESTE LIBRO ES VERDAD.**

Creéroslo y compartiréis el viaje más asombroso que jamás haya hecho nadie.

Charlie Small.

¡Broooom!

¡Bum!

¡CRAC!

¡Anoche hubo
una tormenta
TREMENDA!

Comienzan mis aventuras

¡Han pasado tantas cosas desde la hora de comer! Ahora es medianoche y he acampado en medio de una enorme llanura arrasada por el viento, a muchos kilómetros de mi casa. Yo buscaba aventuras y... ¡vaya si las he encontrado! ¡Muchas más de las que habría sido capaz de imaginar!

Todo ha empezado esta tarde. Anoche hubo una tormenta impresionante y esta mañana, al levantarme, aún llovía, así que me he quedado en casa jugando con los juegos del ordenador. Cuando por fin había conseguido vencer al matón de turno en el nivel seis, mi madre ha entrado en la habitación y me ha dicho:

—¡No puede ser que todavía estés con ese absurdo juego, Charlie! Hace horas que ha dejado de llover. ¿Por qué no te vas al parque? Seguro que tus amigos estarán ahí.

—No quiero ir al parque —he contestado yo con una mueca mientras golpeaba la consola con un rápido ra... ta... ta... ta... ta.

—Necesitas tomar el aire —ha insistido ella.

—Pero si logro terminar el nivel seis, batiría mi récord —me he defendido.

Justo en ese momento (aunque no tengo ni idea

del porqué) se ha producido un crujido en el ordenador y un pequeño destello ha atravesado la pantalla en zigzag; se ha colgado el juego y apagado la pantalla.

—¡Ay, no! —he exclamado—. ¿Qué ha sido eso?

He intentado reiniciar el ordenador, pero no ha habido forma de volver a arrancar el juego.

—¡Muy bien, fantástico! —he gritado—. ¡Está roto! ¿Qué voy a hacer ahora?

—Bueno, ya que el ordenador no funciona y no quieres irte al parque, ¿qué te parece si haces algo útil y ordenas la habitación? —ha sugerido mi madre.

Al contemplar los montones de cosas que había en el suelo, he tragado saliva. De repente salir a la calle ya no me parecía tan mala idea.

—¿Puedo ir a explorar, mamá? Te prometo que ordenaré la habitación cuando vuelva.

Mi madre ha hecho una mueca.

—Puedo probar la balsa que papá me ayudó a construir.

Mamá ha puesto los brazos en jarras.

—Y, además, has dicho que necesito tomar el aire —le he recordado.

—Está bien, de acuerdo —ha aceptado ella, y ha bajado la escalera dando un suspiro—. Pero no llegues tarde a la hora de la merienda.

¡Genial! He rebuscado debajo de la cama hasta encontrar mi mochila; siempre me la llevo cuando salgo de exploración y procuro tener en ella las cosas que me pueden hacer falta. La he sacado y comprobado que estuviera todo:

1. Mi navaja (¡mamá me mataría si lo supiera!)
2. Un ovillo de cuerda
3. Una botella de agua (llena)
4. Una bolsa grande de caramelos de menta (de los de rayas)
5. Un telescopio
6. El pijama (por si tengo que acampar por la noche)
7. Una bufanda
8. Un billete de tren caducado
9. Este viejo bloc de notas (para describir mis aventuras)
10. El teléfono móvil y el cargador
11. Un paquete de cromos de animales salvajes; cuentan cosas terroríficas que le son de utilidad a un explorador.

12. Una barrita de pegamento (para pegar en mi diario cualquier hallazgo interesante)

Así que me he colgado la mochila de los hombros, y, montándome en la barandilla, me he deslizado por ella hasta el vestíbulo.

Acababa de coger el abrigo y corría hacia la puerta cuando he notado un olor a pastelitos recién horneados que procedía de la cocina. No he podido resistir la tentación y me he colado para robar uno de los que había en la bandeja.

—Hasta luego, mamá —he gritado mientras pasaba volando por su lado hacia la puerta de atrás.

Pero si en ese momento hubiera sabido lo que sé ahora, me habría llevado la bandeja de pastelitos entera. Porque algo me dice que no volveré a probar la deliciosa comida de mi madre en mucho tiempo.

¡Eh, un momento! ¡Me estoy adelantando! Esto tiene que ser el auténtico diario de un explorador, o sea que debo contar las cosas siguiendo el orden correcto. Y eso significa que todavía no puedo explicar lo de [illegible]. (¡Quiero que eso os sorprenda tanto como a mí!). Voy a deciros cómo he llegado hasta aquí y por qué no creo que vuelva a probar los pastelitos de mamá hasta dentro de bastante tiempo...

He recorrido el camino hasta el final del jardín, atravesado la maleza que hay junto a la cabaña y me he plantado en la orilla del riachuelo. Entonces he desatado las amarras de la balsa, la he empujado con el remo para pasar por entre los juncos que crecen en la orilla y he remado siguiendo la corriente. No había nadie por allí cerca, pero no me importaba; estaba decidido a comprobar si era capaz de llegar hasta el río.

¡En aprietos!

Al cabo de muy poco rato me di cuenta de que seguir mi camino no sería fácil. El riachuelo estaba tan crecido a causa de la lluvia caída durante la tormenta que se había desbordado; los juncos y las raíces de los árboles de los límites del jardín de nuestro vecino se hallaban cubiertos de agua turbia, y el terreno baldío de la orilla opuesta estaba inundado.

Enseguida mi pequeña balsa se tambaleó y giró entre los remolinos, y en dos ocasiones tuve que apoyarme en el remo para no caer por la borda. Me concentré tanto en mi tarea que no advertí que el cielo se tapaba otra vez con nubes de tormenta.

Fue en ese momento cuando de verdad empezó todo.

Se oyó un repentino estruendo y los cielos explotaron: la lluvia cayó a raudales y me empapó en cuestión de segundos; el agua del riachuelo bulló formando espuma, y, antes de que consiguiera remar hasta la orilla, una crecida del agua me arrastró.

Intentar remar era inútil, por lo que saqué el remo del agua. Pero en ese instante, ¡pam!, un rayo potentísimo atravesó las nubes y cayó sobre el extremo del remo que yo mantenía en alto; la descarga eléctrica me sacudió todo el cuerpo. ¡Uau! Las piernas se me levantaron y me hormiguearon, al mismo tiempo que esa lanza de luz brillante me recorría el cuerpo y me arrojaba con violencia contra el suelo de la balsa, hasta que, silbando y retumbando por el riachuelo, desapareció de la vista.

La balsa dio vueltas sobre sí misma, enloquecida, y yo me quedé tumbado muy quieto unos instantes. Luego, con el corazón desbocado, me senté muy despacio y me palpé de inmediato para ver si me había hecho daño. ¡Era inaudito, pero estaba ileso!

Pero cuando iba a ponerme de pie, oí un ruido sordo como el zumbido de una sierra. He girado la cabeza y... ¡ZUUUUM!, una libélula inmensa, mucho más grande que las que yo conocía, descendió en picado, pasando por delante de mi nariz, y desapareció entre los juncos. ¡Me sorprendí tanto que estuve a punto de caerme al agua!

Río principal
Creo que vi a
la enorme libélula
por aquí
Riachuelo secundario.
¿Llegué hasta aquí?
El rayo
cayó por
aquí
Tierras baldías
Riachuelo de casa
Jardín
Plaza Merlín
Mi casa

La próxima vez he de coger una red.

La libélula pasó volando como un destello de color verde esmeralda, y la verdad es que no pude verla bien, pero estoy seguro de que debía de ser enorme, quizá tanto como un cuervo. Si me hubiera acordado de coger mi red, la habría intentado cazar, pero ésa era una de las cosas propias de un explorador que me faltaban.

Me sentí un poco decepcionado y creí que había perdido la oportunidad de hacer un importante descubrimiento científico. ¡No tenía ni idea de qué me esperaba a la vuelta de la esquina!

Dentro del túnel

La corriente me arrastró por una curva del riachuelo, y, aunque yo confiaba en llegar pronto al río, advertí que las ramas de los árboles de ambas orillas se unían formando un arco sobre el agua, y daban lugar a un túnel largo y oscuro. Remé con furia intentando reducir la velocidad, pero la corriente era demasiado potente y la boca del túnel se me tragó.

La balsa avanzó deprisa, el follaje se hizo más denso y el túnel, más y más oscuro.

Tras los árboles reinaba un silencio absoluto y los únicos sonidos que percibía eran las gotas de agua que caían al riachuelo, el apagado murmullo que yo

El riachuelo penetró en un túnel de árboles.

producía al introducir los remos en el agua mientras trataba de mantener la balsa estable, y...

De repente unas ramitas crujieron bajo la maleza, y oí un extraño grito que provenía de los árboles. Alarmado, levanté la vista, y, ¡CHAC!, ¡una enorme telaraña me dio de lleno en la cara! Me envolvió la cabeza, me tapó los ojos y se me metió en la boca; era fuerte como el hilo de algodón y tuve que romperla con las dos manos para librarme de ella.

Entonces noté que algo me caía encima del hombro y me bajaba por la espalda. ¡Uf! No me atrevía a mirar, de modo que me puse a saltar como un salvaje hasta que oí que, fuera lo que fuese aquella criatura, caía al agua con un ¡plop! detrás de mí.

Me senté jadeando mientras el corazón me latía con tanta fuerza que sus retumbos se oían en medio del silencio. ¡Esto de vivir aventuras empezaba a ser un poco más que terrorífico!

Por un instante pensé que quizá ya había investigado bastante ese día, y posiblemente era un buen momento para volver a casa. Pero ¿qué clase de explorador era yo si me retiraba? Si todos los aventureros famosos se hubieran ido corriendo a casa la primera vez que se asustaron, ¡nunca se habría descubierto nada!

«No, no debo marcharme —pensé—. Un buen explorador tiene que continuar, aunque haya seres extraños acechando en las copas de los árboles.»

De cualquier manera, la corriente era demasiado fuerte y yo no podía detener la balsa. Y, aunque hubiera conseguido disminuir la velocidad, no había ningún lugar en la orilla donde apearse, porque ambos lados del riachuelo estaban llenos de raíces espinosas. ¡Tenía que continuar!

Sin embargo, la entrada del túnel ya había desaparecido de la vista y casi me encontraba en una oscuridad total. Me agaché en la balsa por si había más telarañas colgando, y noté que el riachuelo serpenteaba y giraba mientras la corriente me arrastraba hacia delante. Al cabo de poco tiempo ya no tenía ni idea de cuál era el camino para volver a casa.

—No te asustes —me dije a mí mismo en voz baja, aunque estaba aterrorizado—. No... ¡Uau!

De repente una fuerza enorme empujó la balsa, y oí el chasquido de una cola contra el agua. Remé rápida e impetuosamente mientras el corazón me latía como loco, y, a lo lejos, vi un puntito de luz. ¡Parecía el final del túnel!

Pero en el preciso instante en que supuse que podría llegar sano y salvo al otro extremo, ¡BAM!, la balsa se levantó del agua y yo caí al río.

¡Peligro en las profundidades!

Me hundí en un mar de burbujas y braceé con un pánico ciego. Entre los remolinos de agua, distinguí un inexpresivo ojo negro y una fila de dientes que parecían puntas de sílex.

¿Qué era aquella criatura?

Entonces, al salir a la superficie, percibí que algo emergía en la orilla más alejada: ¡era un COCODRILO!

Pero ¿qué hacía un animal semejante en nuestro riachuelo? ¡Qué absurdo!

No obstante, no era el momento de hacerse preguntas, puesto que el monstruo se me acercaba veloz, con la boca completamente abierta. Pero en el instante en que estaba a punto de cerrarla para tragarme, la balsa se interpuso entre los dos.

La bestia dio un enorme mordisco a la balsa y la sacudió con furia hasta que las cuerdas se rompieron y los troncos se partieron. A continuación rodó sobre sí misma y se preparó para atacar de nuevo, pero cuando su cola me rozó, me agarré a ella con todas mis fuerzas. El animal se debatió como un loco, de tal forma que me quedé sin respiración. Entonces,

¡ZUUUUUM!, nos embarcamos en una montaña rusa, surcamos las aguas y levantamos enormes olas de espuma.

El reptil se retorcía y giraba, tratando de morderme, mientras yo me agarraba a él con desesperación. En un momento determinado creí que todo había acabado, porque la bestia giró la cabeza por completo y cerró de golpe las potentes mandíbulas; sentí un violento tirón en la espalda que estuvo a punto de hacerme caer y tuve la impresión de que las filas de dientes me atravesarían. ¡Pero me di cuenta de que la bestia había mordido mi mochila!

El cocodrilo, enfurecido, me soltó pero continuó dando vueltas en espiral, saltando fuera del agua y zambulléndose en sus turbias profundidades. No sé cómo conseguí sostenerme y trepar por su irregular espalda, aferrándome a su cuerpo escamoso, como si estuviera montando a un potro desbocado.

Me sujeté con firmeza mientras nos elevábamos por el aire; al avanzar, veía pasar los lados del túnel como si fueran manchas verdosas y amarillentas. Me sentía cansado y noté que las manos me resbalaban, pero si me soltaba, al instante me convertiría en un aperitivo para el cocodrilo. ¡Debía hacer algo!

Palpé con una mano la mochila y rebusqué hasta encontrar el ovillo de cuerda que había empaquetado como parte de mi equipo de explorador; atenacé las piernas al cuerpo del cocodrilo e hice un nudo corredizo en uno de los extremos de la cuerda; luego, muy despacio, avancé por la larga y resbaladiza espalda del animal hasta que me senté a horcajadas sobre el cuello.

¡Perfecto! Sabía que sólo tendría una oportunidad, porque si cometía un error, me caería directamente en las mortales fauces del monstruo. Mientras salíamos a toda velocidad del túnel hacia la deslumbrante luz del sol, me incliné sobre su lomo y le pasé el lazo de la cuerda por el hocico y tiré con toda la fuerza de que fui capaz. El nudo corredizo se tensó y le apretó la cuerda alrededor de las mandíbulas. Ahora no podría morderme y lo único que quedaba por hacer era esperar a que se cansara.

Todavía me estaba felicitando a mí mismo cuando, de repente, observé que habíamos salido disparados y volábamos por el aire, como la bala de una pistola. ¡El río nos había conducido a una elevada y rugiente cascada!

Lejos de casa

Caí sin parar, todavía montado a horcajadas sobre el cocodrilo, atravesamos nubes de vapor y bajamos por un arco iris hasta que, ¡PLAF!, caímos al agua; yo salí disparado y me hundí en la rugiente espuma.

El agua me zarandeó y me apaleó como si yo fuera una alfombra dentro de una lavadora, pero me debatí para salir a la superficie al mismo tiempo que suplicaba que el cocodrilo todavía tuviera el hocico sujeto con la cuerda.

Al emerger, miré angustiado alrededor hasta que vi a la enorme bestia; flotaba, aturdida y sin respirar, al otro lado del ancho lago al que caía la cascada, y aún tenía el hocico atado con la cuerda.

Nadé hasta la orilla y salí del agua. Agotado, me acerqué con cuidado al animal, que yacía inmóvil en el agua a poca profundidad, y tan deprisa como pude, tiré de la cuerda y le quité el bozal. Y él se alejó, cansado y frustrado.

Jadeando, volví a guardar el ovillo de cuerda en la mochila, y, al meterlo, me rocé la mano con algo duro. ¡Era un diente del cocodrilo que se había quedado enganchado en la hebilla de la mochila! Lo saqué y lo contemplé: afilado como la hoja de un cuchillo; aserrado, como un cuchillo de cortar carne, y tan grande como mi mano. ¡Fantástico!

Lo envolví con unas hojas y lo guardé en el fondo de la mochila. Estaba impaciente por enseñárselo a todo el mundo en la escuela. ¡Era una prueba irrefutable de que había luchado contra un cocodrilo y logrado sobrevivir!

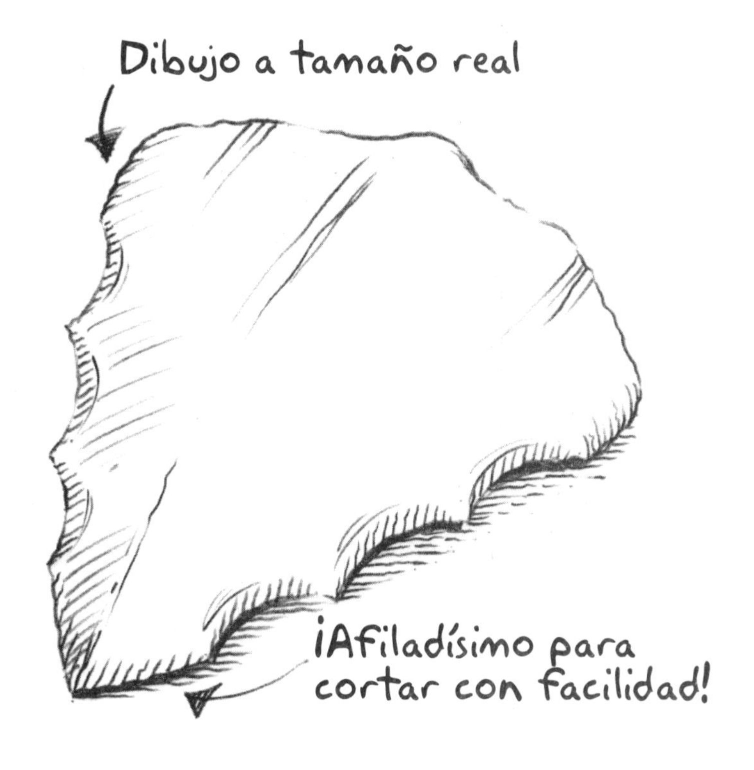

Pero, entonces, investigué el terreno para orientarme y me pregunté si alguna vez volvería a la escuela. ¡Porque, de inmediato, percibí que TODO había cambiado!

La cuestión era que había caído por una cascada desde un escarpado acantilado, situado a unos trescientos metros de altura, pero no sabía cómo volver a subir ni se veía ningún camino que partiera del lago. Por el contrario, éste se

hallaba rodeado de árboles que se enredaban entre sí hasta alcanzar el borde del agua, y eran tan altos y gruesos y los cubrían tantas enredaderas que parecía una jungla. ¡Una jungla oscura y húmeda!

Acto seguido, me llegó el eco de los sonidos de pájaros y animales desconocidos y pensé que quizá me hallaba en una especie de parque temático. Pero eso era una tontería, porque estaba seguro de que si hubieran inaugurado una de esas atracciones cerca de mi casa, me habría enterado. Así pues, ¿dónde me encontraba?

¡Me encontraba en apuros, eso estaba claro!

Alcé la vista para contemplar el enorme acantilado y pensé que debía decirle a mi madre que quizá llegaría un poco tarde a merendar. De modo que rebusqué en la mochila, saqué el móvil y marqué el número; aunque parecía increíble, el teléfono tenía cobertura.

—Mamá —grité cuando ella contestó.

—Hola, cariño, ¿va todo bien?

—¡Sí, fantástico! Pero oye, mamá, he descubierto un río muy extraño y me parece que he caído por una cascada a un valle muy profundo.

—Me parece maravilloso, cariño —contestó ella—. ¡Ah, espera un momento, Charlie! Tu padre acaba de llegar. Bueno, acuérdate de no venir tarde a merendar y, si pasas por alguna tienda, trae una botella de leche, por favor. Adiós.

—Espera un momento, mamá —dije, pero ella ya había colgado el teléfono.

Mientras guardaba de nuevo el móvil en el fondo de la mochila, pensé que daba igual; ya se lo contaría todo cuando volviera a casa. Miré hacia la densa maleza, fuera lo que fuese.

En la jungla

Me interné en la maraña de árboles y arbustos, y enseguida me hice un montón de arañazos y cardenales; además, las zapatillas deportivas se me llenaron de barro y agua, pero no me importaba. ¿Qué significan unos cuantos rasguños para un intrépido aventurero? ¿Es que acaso Neil Armstrong abandonó su misión en la luna por habérsele desgastado los zapatos? ¡Nada de eso!

Así que avancé valientemente con los ojos muy abiertos todo el rato. En la jungla resonaban toda clase de sonidos de bestias extrañas, y, después de mi encuentro con el cocodrilo, era consciente de que debía caminar con mucho cuidado.

Oía gritos procedentes de las copas de los árboles, así como gruñidos, gemidos y resoplidos de criaturas misteriosas que se abrían paso por entre la maleza. Pero, aunque percibía el murmullo de las hojas de los árboles y el crujido de las ramitas del suelo, no distinguía ningún animal, sino tan sólo árboles y arbustos sin fin. ¡Y cada vez que apartaba una rama de mi camino o abría una cortina de lianas creía que me encontraría frente a frente con algo horrible!

Pero no era posible estar asustado mucho tiempo, porque todo lo que veía en ese extraño mundo nuevo era hermoso: los árboles estaban rodeados por plantas trepadoras cubiertas de líquenes y unos extraños frutos colgaban en racimos de las ramas; algunas hojas eran grandes como manteles y gruesas como cuero.

Una de éstas cayó al suelo mientras yo atravesaba un pequeño claro, y pensé que sería otro fantástico trofeo para enseñarlo en la escuela. La recogí y la enrollé, pero, justo cuando la guardaba con mis otros objetos de mi equipo de explorador, tuve la rara sensación de que me observaban.

Eché una ojeada, pero no vi nada a excepción de árboles y más árboles.

Sin embargo, me intranquilicé, así que volví a introducirme en la maleza y apreté el paso tanto como pude. Estaba seguro de oír el murmullo de las hojas y unos pasos sordos detrás de mí, pues cada vez que me detenía, los pasos también se detenían, y cuando volvía a caminar, los percibía de nuevo.

¡No era una sensación nada agradable! No me gustaba en absoluto. Y mi imaginación se puso a trabajar a toda pastilla. ¿De qué se trataría? ¿Un tigre comedor de hombres, quizá, o un lobo hambriento y astuto? ¿O tal vez era alguien de mi casa, mi padre o un amigo, que me estaba buscando? Sólo había una forma de averiguarlo, de modo que inhalé profundamente y me di la vuelta muy rápido.

A tan sólo unos metros de distancia, entre la oscuridad de las hojas, vislumbré unos furiosos ojos rojos que me miraban con fijeza.

¡Salí corriendo!

Y corrí tan deprisa como pude entre la maraña de ramas, consciente de que los pasos que me seguían se acercaban cada vez más. Entonces, de súbito, la jungla se terminó y me encontré en un claro enorme: una llanura de hierba amarillenta que se prolongaba hasta el horizonte.

Fuera lo que fuese lo que me había estado siguiendo, se quedó entre los árboles y me consideré a salvo.

—¡Uf! —suspiré con alivio—. ¡Por los pelos!

Pero al mirar hacia la sabana desierta me

estremecí, porque suponía que cuando llegara al final de la jungla, no me encontraría muy lejos de mi ciudad, quizá al otro lado de la carretera de circunvalación. Pero ahora, ante ese prado que se perdía de vista, estaba casi seguro de que no llegaría a casa a tiempo para la merienda.

—Tendré que dar muchas explicaciones —me dije en voz baja mientras buscaba otra vez el móvil.

Estaba a punto de marcar el número cuando el suelo comenzó a temblar y a vibrar, y se produjo un ruido terrible, como el de un tren expreso a toda velocidad. Levanté la vista y el teléfono se me cayó del susto: ¡un enorme rinoceronte se precipitaba a la carga contra mí!

La cosa se pone caliente

Me quedé clavado donde estaba mientras contemplaba cómo el rinoceronte me embestía con la cabeza gacha; de las fosas nasales le salían grandes nubes de vapor que se le arremolinaban alrededor del cuerpo de tal forma que parecía estar envuelto en fuego; tenía la piel arrugada y cubierta de abundantes forúnculos, y, al galopar, movía las piernas con tanto ímpetu que parecían pistones. Enfurruñada, la bestia bramaba y corría en estampida hacia mí acercándose cada vez más. ¡El cuerno, brillante como la plata bruñida, me apuntaba directamente!

—¡DETENTE! —conseguí chillar apretando los párpados aunque ya tenía cerrados los ojos. Y en ese preciso instante, entre espumarajos de vapor, el animal se detuvo en seco a tan sólo unos centímetros de distancia.

Casi sin atreverme a respirar abrí los ojos, y, de un manotazo, aparté la nube de vapor que me envolvía. El rinoceronte me devolvió la mirada (las

fosas nasales parecían dos teteras con agua hirviendo), pero no se movió. Entonces levanté la mano despacio y le toqué la nariz. ¡Era de hojalata! Le di unos golpecitos, pero tampoco se movió. ¡No importaba lo fuertes que fueran los manotazos o los coscorrones, porque él continuaba inmóvil como una estatua!

Olvidándome por completo de que tenía que llamar a casa, lo rodeé con mucha precaución: el cuerpo consistía en una armadura de planchas blindadas —moldeadas y festoneadas—, unidas con gruesos tornillos; lo que al principio me parecieron forúnculos, en realidad eran unos remaches abombados tan grandes como pelotas de *ping-pong*; el cuello y las piernas estaban hechos de malla metálica, lo que le permitía moverse e inclinarse, y la cola estaba constituida por una serie de piezas articuladas que acababan en una especie de cachiporra con forma de rombo. Nunca había visto ni oído hablar de nada parecido. ¿Qué era aquello, un animal o una máquina? Pero fuera lo que fuese, tenía un aspecto absolutamente magnífico.

Acabé de rodear al impresionante animal y me asombró observar que disponía de una trampilla en un costado. Le di otra palmada para asegurarme de que no iba a cobrar vida de repente, y el golpe resonó como si se tratara de un bidón vacío. Entonces, con el destornillador de la navaja multiusos, aflojé los tornillos que sujetaban la puerta de la trampilla. Al abrirla, emitió un chirrido oxidado, y miré dentro. Se formó una nueva nube de vapor y, cuando ésta se evaporó, vi un montón de tubos y discos. ¡El rinoceronte era una máquina! Una máquina muy complicada y sofisticada.

Los tubos se retorcían y giraban como si fueran intestinos metálicos; se juntaban, se separaban y se desviaban unos de otros siguiendo una ruta serpenteante en el interior de la barriga del animal. En el centro había un depósito de agua y, remachada en él, una placa rezaba: «Creación de Jakeman. El rinoceronte mecánico de vapor. Patente n.º 102633».

«Fantástico —pensé—. Impulsado por vapor.»

Al mirar más de cerca para observar cómo funcionaba, vi un trozo de papel metido en un muelle en la parte de dentro de la plancha del vientre. He aquí cómo era...

(¡Lo voy a pegar en la página siguiente de este diario para que veáis lo fantástico que es!)

Estudié el dibujo un buen rato y luego volví a meter la cabeza en el interior del rinoceronte. Debajo del depósito de agua parpadeaba una pequeña luz piloto, pero al quitarle el tapón comprobé que estaba vacío. Fui a buscar la botella de agua que guardaba en la mochila, y, poco a poco, lo llené. El marcador indicó MUY CALIENTE, y supuse que debía de ser la actitud más fiera del rinoceronte, así que lo cambié hasta que señaló FRÍO. A continuación apreté el botón de REPROGRAMAR en el panel de mandos y me senté para ver qué hacía esa bestia impulsada por vapor tan, tan extraña.

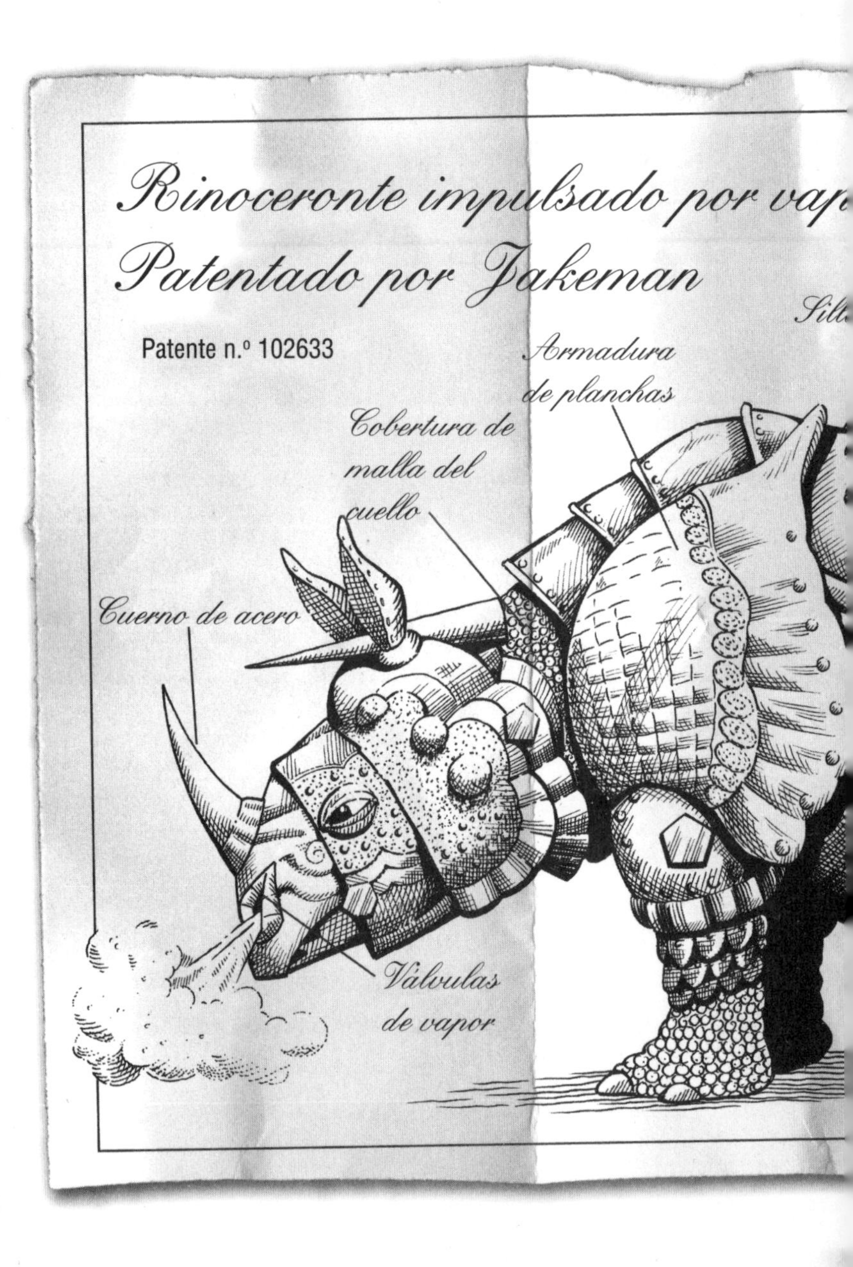
Rinoceronte impulsado por vap
Patentado por Jakeman
Patente n.º 102633
Armadura de planchas
Cobertura de malla del cuello
Cuerno de acero
Válvulas de vapor

Panel de control
montar aislante
Trampilla
Depósito de agua
Cola articulada
Escamas de hierro
Malla metálica

Montando al rinoceronte

La luz piloto encendió los quemadores del animal y el agua empezó a calentarse. Enseguida hirvió alegremente, el vapor recorrió los tubos y las válvulas, y el bicho me miró.

—Buen chico, buen rinoceronte —le dije yo, un poco nervioso, dándole unas palmaditas en el hocico mientras él me dedicaba un suave cabezazo. En éstas echó un chorro de vapor por la nariz, bajó la cabeza y se dedicó a morder y a masticar la hierba seca del suelo con tal de obtener combustible para su horno interior. ¡Era alucinante! El inventor tenía que ser una especie de genio, pues mientras tuviera comida y agua, el rinoceronte mecánico siempre funcionaría. Pero ¿qué hacía allí, en la sabana arrasada por el sol?

Le acaricié la parte de detrás de las orejas y el animal cerró los ojos, extasiado.

—Muy bien, tranquilo, Rino —le dije con calma.

Entonces tuve una gran idea: quizá el rinoceronte podría ayudarme a atravesar la sabana y encontrar el camino de regreso a mi casa. Al fin y al cabo, no podía volver por el mismo camino por el que había venido.

Saqué el ovillo de la mochila, corté un trozo de cuerda, lo até a la boca del animal, para que hiciera la función de unas riendas, y, con precaución, me monté en él.

—Vale —le dije dándole una suave patada—. ¡Vámonos!

Chirrió y rechinó, pero se puso en marcha y trotó por la llanura.

—Más rápido —grité, y solté las riendas—. ¡Más rápido!

El rinoceronte se puso a medio galope, y atravesamos unas hierbas crecidas en dirección a una distante mancha verde que me pareció que también era un bosque. Yo nunca había montado a caballo, pero ahí estaba gritando a todo gritar, encima de un enorme rinoceronte metálico, mientras atravesábamos una llanura bañada por el sol poniente. La hierba se mecía con la suave brisa formando olas que recorrían la sabana, y le daban el aspecto de un océano dorado. El animal cruzó ese mar como un pequeño barco de vapor, dejando tras de sí una estela de hierba aplastada, y, al levantarme sobre la silla, pensé en lo fácil que sería vigilar al ganado con ese corcel tan fornido.

—¡Yuuuupi! —chillé.

Pero cuando llevábamos varias horas cabalgando, me descorazoné un poco, pues la llanura era verdaderamente inmensa y daba la impresión de que no nos aproximábamos al bosque. Ojalá hubiera sido un jinete más experimentado, porque me dolía el trasero de tanto rebotar en la silla metálica; a cada traqueteo del rinoceronte, me crujían los huesos y me magullaba el trasero.

Hacía un rato me preocupaba llegar tarde a la hora de la merienda, pero ahora sospechaba que ni siquiera estaría en casa antes del anochecer; tenía la impresión de que me tocaría acampar al aire libre, como un auténtico explorador, para pasar la noche en algún lugar desconocido y bajo un cielo extraño. Esa perspectiva me reconfortó, hasta que me acordé de mi madre e imaginé la cara que pondría cuando le dijera que tenía intención de acampar al aire libre... ¡sin tienda! Suspirando, busqué el móvil otra vez.

Muy tarde para ir a merendar

El teléfono no tenía cobertura, pero al ver que, a unos metros de distancia, había una palmera en medio de la llanura, pensé que si trepaba por ella a lo mejor la conseguía, así que enfilé al rinoceronte hacia allá.

Pero mi plan se frustró porque, al acercarnos al árbol, observé que el tronco era liso como el cristal y resultaba imposible trepar por él. Entonces me fui deslizando por el lomo del rinoceronte y me metí entre las crecidas hierbas, que se mecían por encima de mi cabeza. En el momento en que el sol ya se ponía, me sentí muy solo en una tierra desconocida.

No me quedaba más remedio que acampar para pasar la noche; telefonearía a mamá al día siguiente, tan pronto como consiguiera cobertura. Pero, mientras intentaba aplanar las hierbas para construir un lecho, di un tropezón; bajé la vista y descubrí un hilo fino y plateado que cruzaba por entre los tallos. Me dije que no era posible que hubiera tropezado con eso, pero cuando intenté romperlo, no pude; era extraordinariamente fuerte.

Por curiosidad, seguí el hilo a través de la hierba y observé que se unía a otro hilo, y luego a otro, y a otro, hasta que me convencí de que había llegado al centro de una enorme y enmarañada telaraña. En efecto, una reluciente araña, de un color azul eléctrico y del tamaño de una nuez, apareció para ver qué había cazado y se me quedó mirando desde uno de los tallos.

«No quiero más telarañas», pensé.

Me inquieté un poco y di un paso atrás sin dejar de observar a esa criatura que brillaba como una gema. Sin embargo, me pareció que no se molestaba por que le hubiera estropeado la casa, y, de inmediato, se puso a repararla.

Emitiendo un zumbido, como si se tratara de un juguete de cuerda, comenzó a tejer metros y metros de un hilo muy resistente. Y mientras observaba cómo trabajaba la pequeña y trabajadora criatura, tuve una idea: a lo mejor me sería útil para telefonear a casa.

Así pues, la cogí y la puse boca arriba en la palma de la mano. Del extremo del abdomen le salía un hilo sedoso; tiré de él con suavidad y le salió un poco más; di otro tirón y el hilo se me amontonó en la mano. ¡Era como un carrete! Comprobé de nuevo la resistencia del hilo y me lo até al dedo índice; luego sujeté a la araña con la mano derecha y la lancé al aire con todas mis fuerzas. ¡El arácnido salió volando —cinco, diez, quince metros— hasta que pasó por encima de la copa de la palmera, dibujando un arco, sin cesar de segregar el sedoso hilo; por fin cayó, sin hacerse daño, sobre la hierba, al otro lado del árbol. Entonces me desaté el hilo del dedo, lo até firmemente al cuerno del rinoceronte y corrí a buscar a la araña entre la maraña de hierbas.

Seguí el zigzag que había descrito el hilo por entre los altos tallos y enseguida llegué a donde la pequeña hilandera azul se encontraba. Antes de que lograra escapar, me agaché y corté con la navaja el hilo que le salía de la barriga. Entonces, procurando no enredarme con la larga y pegajosa hebra, me la até al pasador del cinturón de los vaqueros, de manera que dibujaba la curva de un arco que iba desde mi cinturón hasta la copa de la palmera, y descendía por el otro lado sujeto al cuerno del rinoceronte. Todo estaba a punto para poner en práctica mi idea.

—¡Adelante, Rino, adelante! —grité mientras le daba una palmada en la grupa metálica. ¡Y el simpático rinoceronte de vapor avanzó con lentitud y, al hacerlo, el hilo se tensó y me levantó del suelo!

Tan pronto como hube llegado a la cima de la palmera, me saqué rápidamente el teléfono del bolsillo.

¡Mi plan había funcionado: estaba a una altura suficiente para tener cobertura!

Ordené al rinoceronte que se detuviera y marqué con rapidez el número de teléfono de mi casa. El hilo era fuerte, pero no soportaría mi peso mucho rato, aunque confiaba en que lo aguantara el tiempo suficiente.

Al fin escuché una voz tenue por el teléfono.

—¡Mamá! —grité, y me sentí tan aliviado que levanté un brazo en el aire en señal de

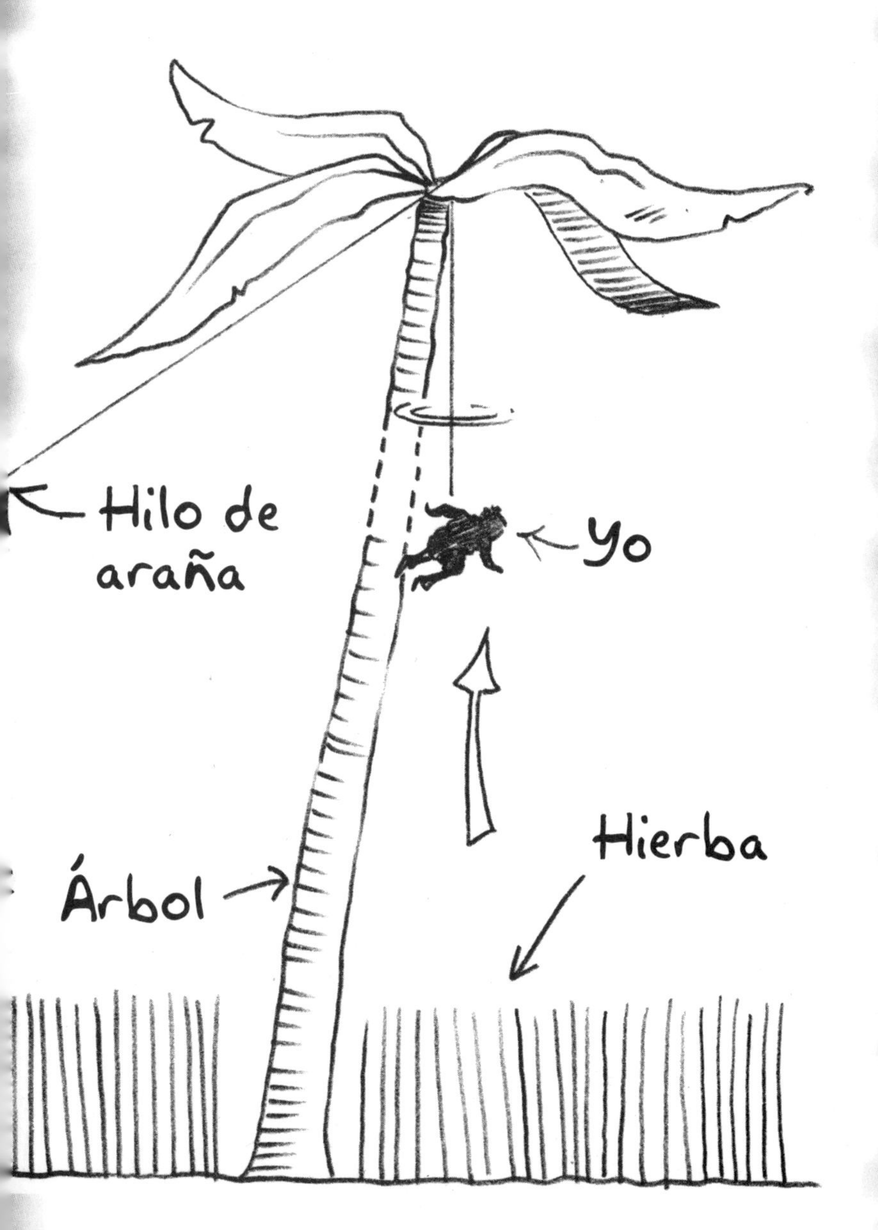
Hilo de
araña
Yo
Hierba
Árbol

triunfo, lo cual hizo que me balanceara de un lado a otro. Entonces solté un chillido.

—¿Eres tú, Charlie? ¿Va todo bien?

Yo intentaba no mirar hacia abajo mientras contestaba:

—Sí, mamá. Siento haberme perdido la merienda, pero... ¡he luchado contra un cocodrilo y luego algo me ha perseguido por la jungla y ahora me parece que estoy perdido en una especie de valle secreto! No sé dónde estoy, pero seguro que es más allá del parque tecnológico.

—Me parece maravilloso, cariño —contestó ella—. ¡Ah, espera un momento, Charlie! Tu padre acaba de llegar. Bueno, acuérdate de no venir tarde a merendar y, si pasas por alguna tienda, trae una botella de leche, por favor. Adiós.

—Oye, mamá... —le dije, confundido. Pero ella ya había colgado. ¡Eso era muy extraño; no parecía preocupada en absoluto! De hecho, había dicho exactamente lo mismo que cuando la había llamado desde el río, hacía un montón de horas. Era como si no hubiera entendido nada de lo que le había dicho, o como si el tiempo no hubiera transcurrido en absoluto.

¿Dónde me hallaba? ¿Acaso la cascada me había enviado a otra parte del mundo, o había encontrado una especie de reino desaparecido justo a la vuelta de la esquina de mi casa? ¡Quizá había aparecido en una dimensión temporal distinta a causa del rayo! Todas esas ideas eran terroríficas, pero por lo menos sabía que todavía no había llegado tarde a merendar.

De repente una ráfaga de aire hizo que me balanceara otra vez y me dije que no debía malgastar el tiempo pensando en lo que ocurría hasta que estuviera en tierra, sano y salvo. De modo que llamé al rinoceronte, y, mientras éste retrocedía, yo bajé con suavidad hasta la hierba.

Mi primera noche bajo las estrellas

Mientras acampaba, se ha hecho de noche, pero el cielo está lleno de titilantes estrellas. Sin embargo, no hay ninguna roca donde cobijarse, y la palmera es demasiado alta y oscila mucho para hacerme una cama en ella, así que tendré que dormir en la hierba.

Después de obligar al rinoceronte a caminar describiendo círculos concéntricos, he conseguido que la hierba estuviera lo bastante aplanada para tumbarme en un sitio llano, un lugar protegido del viento, pero como el sol se ha puesto, empieza a hacer frío.

Durante un rato creí que tendría que ponerme el abrigo encima del pijama, pero mientras intentaba acomodarme en el suelo lleno de rastrojos y pinchos, el rinoceronte se ha acercado y me ha ofrecido cobijo bajo su enorme estómago. El calor de su horno ha logrado que mi lecho sea acogedor y caliente, y, al abrir la trampilla, he dispuesto de la luz suficiente para escribir estas líneas.

Pero a pesar de que ya he redactado todo lo que ha sucedido hasta el momento, todavía no consigo que tenga ni pies ni cabeza, porque ¿qué ha sucedido exactamente para que haya llegado a este lugar sorprendente? ¿Por qué mi madre todavía cree que no ha llegado la hora de la merienda y, en cambio, para mí ya es más de medianoche? Bueno, por lo menos no tengo que preocuparme por el hecho de que ella esté inquieta por mí, porque ¡no tiene ni idea de qué me ha sucedido!

¡Anda! Ahora caigo que... si mamá no me echa de menos, nadie vendrá a buscarme. Así que tendré que valerme por mí mismo. ¡Esto es auténtico! ¡Estoy viviendo de verdad la gran aventura que siempre había soñado!

Se encuentre donde se encuentre este sitio, y tanto si soy o no el primer explorador que ha puesto el pie en él, no lo sabré nunca. Pero mientras esté aquí tendré que intentar comportarme como un auténtico explorador, tomar tantos apuntes en este diario como pueda y reunir un montón de pruebas para demostrar que todo esto es cierto.

Carcajadas en la noche

¡Vaya... qué suerte he tenido de hacerme amigo del rinoceronte metálico! Porque en plena noche me desperté al oír unas carcajadas en la oscuridad.

«¿Quién será?», me pregunté mientras el corazón me latía a cien por hora.

Me incorporé con rapidez y me di un golpe en la cabeza contra el vientre del rinoceronte, que sonó como una campana. Al instante, las carcajadas cesaron, pero al mirar al otro lado de nuestro campamento improvisado observé que las hierbas se mecían al paso de unos visitantes que no habían sido invitados. En un momento dado dejaron de moverse y el sonido del rinoceronte se desvaneció. Todo quedó sumido en un tenso silencio. Esperé.

A medida que los ojos se me acostumbraban a la oscuridad, distinguí unas formas borrosas entre la hierba; se deslizaban y arrastraban sigilosamente alrededor del campamento y creí que oiría el rugido de sus hambrientos vientres. Entonces volvieron a oírse risillas y carcajadas ahogadas y explotó una risa alocada que resonó por todo el cielo. De repente supe qué eran: ¡hienas!

Pero ¿por qué no atacaban?

Supuse que debían de tener miedo de mi amigo de metal, porque todavía no se habían dado cuenta de que los murmullos y los zumbidos repetitivos que emitía eran una señal de que estaba profundamente sumido en su sueño mecánico. Me di con rapidez la vuelta para golpearle la barriga, pero, justo en ese momento, uno de los animales, que era muy valiente, salió de su escondite y se me acercó corriendo.

¡Antes de que pudiera evitarlo, las fauces de la hiena me atraparon un tobillo y me sacaron a rastras de debajo del rinoceronte! La hambrienta bestia babeaba, y noté cómo la pegajosa saliva me atravesaba el calcetín y los dientes perforaban la gruesa suela de goma de mis zapatillas deportivas.

—¡Socorro! —grité.

La hiena tiró de mí hacia la cortina de hierba y fui consciente de que en cuanto desapareciera entre los altos y densos tallos, estaría perdido sin remedio.

Chillé, me retorcí y le golpeé la gran cabeza huesuda, pero sus potentes mandíbulas me sujetaron con más fuerza todavía.

Fue en ese preciso momento cuando recordé haber leído algo sobre esas bestias en uno de los cromos de mi colección de animales salvajes, y ahora, mientras escribo esta aventura, a salvo en un árbol de la jungla, voy a pegar el cromo en el diario:

La verdad es que eran unos datos muy interesantes, aunque no demasiado útiles cuando uno tiene un pie en la boca de uno de esos animales.

A todo esto el rinoceronte se despertó de repente, lanzó un enorme chorro de vapor y, con un potente bramido, se lanzó a la carga. La hiena me soltó al instante, y, gruñendo y babeando, se giró para plantar cara a su atacante. Pero no fue capaz de hacer frente al potente rinoceronte, y la lucha acabó en un momento. Rino hincó el cuerno en el vientre de la hiena y la lanzó volando por los aires en plena oscuridad.

Poco después se oyó un golpe sordo y un gañido lastimoso. El rinoceronte lanzó otro enorme chorro de vapor, volvió trotando al campamento, cerró los ojos y se quedó dormido de inmediato. ¡Era todo un héroe!

Yo me arrebujé otra vez debajo de su barriga, pero no me fue tan fácil dormirme como a mi amigo de metal. Las hienas no intentaron atacar de nuevo, pero se mantuvieron alrededor del campamento el resto de la noche, y cada vez que cerraba los ojos me imaginaba que unos depredadores hambrientos me partían los huesos.

¡Mis huesos hechos polvo!

Un Charliesmallicus

Las cosas pintaron mejor por la mañana, a pesar de que me dolía el tobillo, lleno de moratones. Para desayunar solamente tenía brotes de hierba y un caramelo de menta. (¡Quería zampármelos todos, pero sabía que me tenían que durar mucho tiempo!)

¡Mi primer desayuno!

Subí a la grupa del rinoceronte y nos dirigimos hacia la línea de árboles que se extendía a lo largo del horizonte; luego le di unos golpecitos en el cuello y el animal lanzó un chorro de vapor de alegría. ¡Qué buen compañero!

El aire era limpio y fresco y el cálido sol me daba en la espalda; multitud de animales poblaban la llanura, unos me resultaban familiares y otros, extraños. Vi, por ejemplo, elefantes, panteras y aves del paraíso, pero cuando nos detuvimos a beber agua en un abrevadero, todavía se oían a lo lejos los aullidos de las hienas.

Sin embargo, también vi a un animal

desconocido, extraño y exótico que estoy seguro de que nadie había visto antes, ni nadie volverá a ver jamás.

En los libros que tengo en casa leí que si un explorador descubre una especie desconocida, tiene que describirla y darle un nombre. Así que decidí hacerlo.

Éste es, pues, mi primer descubrimiento: grande como un gato, el animalito salió de entre la hierba mientras yo, sentado en el abrevadero, observaba a los diversos animales y disfrutaba del sol. ¡Emitió un agudo ¡PIIIIP!, saltó sobre mis piernas, y de ahí al lomo de un elefante que comía hierba, cogió un fruto del tamaño de un melón y desapareció otra vez entre la hierba!

El Charliesmallicus
(Dibujado de memoria)
Valiente, rápido e inteligente. (Todos los buenos exploradores dicen tener, por lo menos, una de estas cualidades.)

El rinoceronte de vapor bebió litros y litros de agua del abrevadero para llenarse el depósito y comió montones de hierba para disponer de combustible. Y cuando lo llamé para que se preparara para continuar el viaje, carraspeó de tal manera que parecía querer decirme que estaba listo para lo que fuera necesario.

Aunque no sabía hablar, su presencia me resultaba muy reconfortante; ya había demostrado ser un buen amigo y un aliado formidable, y yo creía que podía confiar en él por completo. ¡De hecho, si no hubiera sido por él, yo ya no sería más que un ligero caso de indigestión de una hiena bastante gorda!

Mientras recogía mis cosas del suelo, él se me acercó poco a poco y apoyó con suavidad la gran cabezota sobre mi hombro.

—Buen chico —le dije dándole unas palmaditas en el hocico que él recibió con un silbido de contento—. Es hora de ponerse en marcha. —Así pues, recogí la mochila y salté sobre su ancha grupa.

Se llamara como se llamase ese sitio, me encontraba en un lugar increíble. Y mientras el rinoceronte me llevaba a través de la llanura dorada, disfrutando del sol y del canto de los pájaros, yo bullía de excitación; me sentía invencible, dispuesto a enfrentarme a cualquier cosa. Hasta que por fin, a menos de un kilómetro y medio, divisé la jungla, de un color verde oscuro, reluciendo bajo el sol.

—¡Adelante, Rino! —le grité, y le di una patadita para que corriera más—. ¡Ya casi hemos llegado!

Galopamos a toda marcha por una suave pendiente en dirección a la primera hilera de árboles. Ahora sí tenía la sensación de que estábamos llegando a alguna parte, y, con un poco de suerte, el rinoceronte atravesaría la jungla como una apisonadora. Cuando la atravesáramos, seguramente encontraríamos un camino que me conduciría hasta mi casa.

Ahora ya nada saldría mal.

Pero en ese momento, las hierbas que teníamos delante crepitaron como si fueran las llamas de una hoguera; alguna criatura se arrastraba por debajo, ¡alguna criatura enorme!

Las hierbas oscilaron con frenesí, y, de súbito, como un monstruo emergiendo de las profundidades, ¡una serpiente inmensa se irguió ante nosotros!

La mordedura de la serpiente

A la luz del sol la serpiente tenía un brillo iridiscente, pues diversos colores —púrpuras, verdes y amarillos— le surcaban la piel como si se tratara de descargas eléctricas; su cuerpo era grueso como la llanta de un coche y la cabeza, grande como la de un semental. El rinoceronte de vapor se detuvo en seco y gruñó, bajó la cabeza y rascó el suelo con una pata delantera. Despacio ambos animales se pusieron a dar vueltas, uno frente a otro, esperando el momento adecuado para atacarse, y yo tuve la clara impresión de que los dos se habían encarado anteriormente y tenían una cuenta pendiente.

Me dije que de ninguna manera quería estar en la grupa del rinoceronte en el momento en que las dos bestias gigantes se lanzaran a la lucha, así que eché un vistazo buscando un lugar donde esconderme. Pero era demasiado tarde, porque la serpiente, silbando como los frenos de un enorme camión, me vio montado en su contrincante y empezó a retorcerse y a contorsionarse de placer. Quedaba claro que creía que yo era una extraña amenaza y

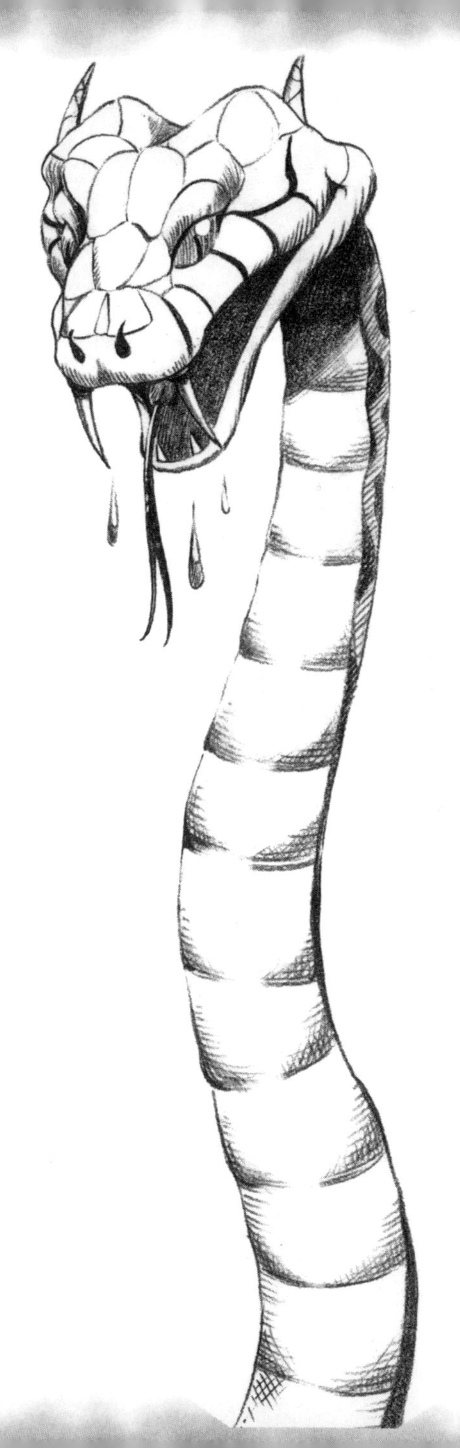

no estaba dispuesta a perder la oportunidad de darme un buen mordisco.

Rino también emitió un silbido amenazante y lanzó un chorro de vapor hirviente por las fosas nasales. La serpiente se apartó, echó la cabeza hacia atrás y a la izquierda y se lanzó contra mí a la velocidad del rayo.

Yo intenté saltar de la grupa del rinoceronte, pero ella fue demasiado rápida y me levantó por los aires. Mientras tanto uno de sus colmillos, que goteaba un sustancia verde y mortífera, se enganchó en el cinturón de mis vaqueros.

«¡Huy, por poco!», pensé. Pero en ese momento la serpiente me dio un empujón, y comprobé cómo caía directamente a sus fauces.

—¡Socorro! —grité. Era el fin. ¡Estaba perdido!

Pero cuando ya creía que mis aventuras terminarían entre los jugos gástricos de un largo tubo musculoso, repleto de veneno, el rinoceronte atacó. La serpiente salió despedida hacia un lado a causa del golpe que le propinó mi buen amigo, que le dio de lleno en el estómago. (Bueno, supongo que se trataba de eso, porque resulta bastante difícil reconocer las partes del cuerpo de una serpiente.) Así pues, caí al suelo y aterricé la mar de cómodo sobre un inmenso y mullido helecho; rodé bajo sus anchas hojas para ocultarme y, con el corazón latiendo a todo latir, observé la peor de las batallas.

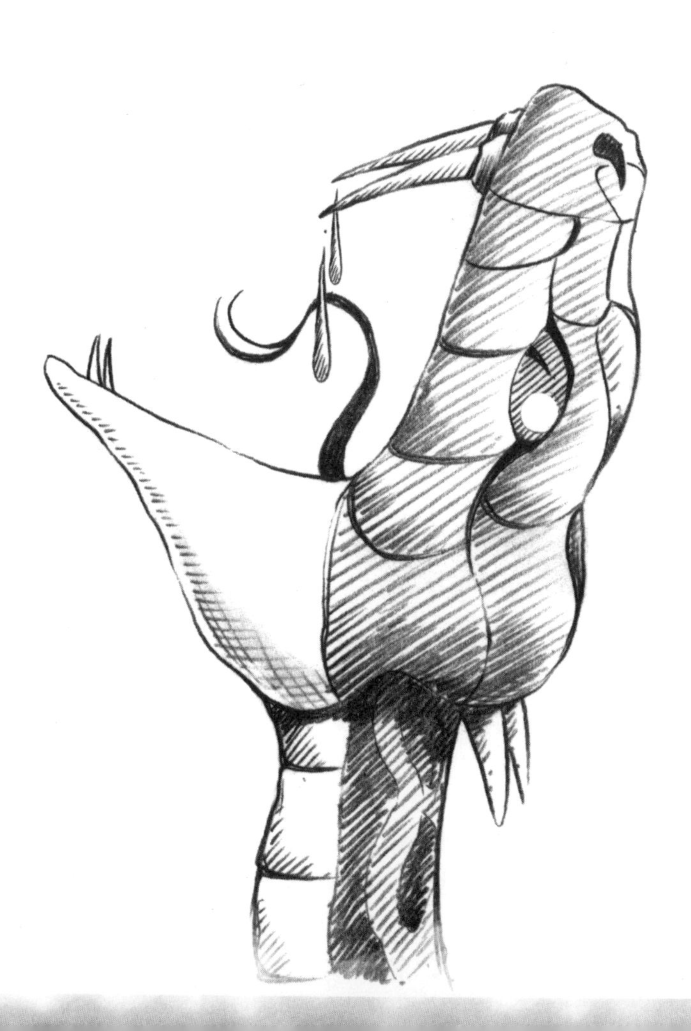

¡Una lucha a muerte!

La serpiente presentó batalla, pero sus colmillos tan sólo arañaron los costados metálicos del rinoceronte; sonaba como el ruido de las uñas contra una pizarra, y me produjo un escalofrío.

El rinoceronte volvió a la carga, resoplando y bramando, y empujó al reptil contra un árbol con una fuerza arrolladora.

—¡Adelante, Rino! —grité.

Él embistió y acosó a la serpiente por el prado. Por fin ésta se hallaba fuera de combate: jadeando, se quedó inmóvil contra un árbol y me di cuenta de que otro golpe acabaría con sus días de cazadora de rinocerontes. Pero entonces... ¡qué desastre!

Cuando el rinoceronte cargó otra vez contra ella con una fuerza que, seguramente, la habría partido en dos, el cuerno de acero se le clavó en el tronco del árbol y se quedó inmovilizado.

Desesperado, intentó soltarse. El árbol entero se bamboleó a causa de la fuerza con que lo movía, pero la bestia de metal continuaba atrapada en él.

La serpiente, derrotada, al percibir la oportunidad que se le ofrecía, se precipitó bajo la barriga del rinoceronte, se le subió por el lomo, y le enrolló alrededor el musculoso cuerpo a toda

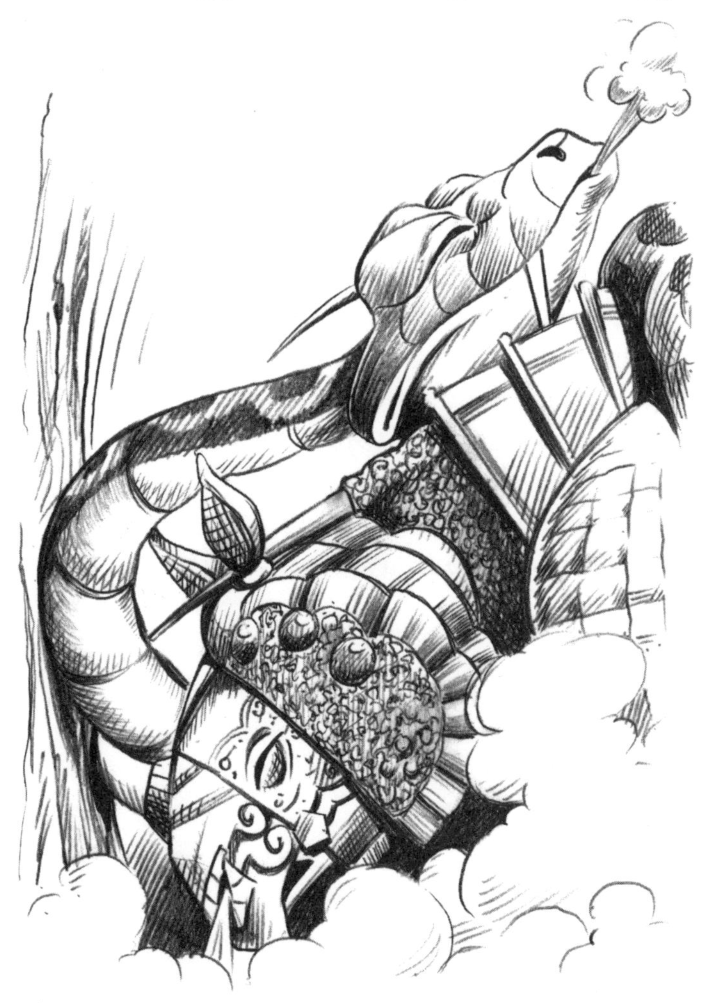

velocidad. Rino hizo un último esfuerzo y se desprendió del árbol, pero ya no estaba a tiempo.

—¡Nooo! —grité, y corrí a ayudar a mi amigo. No obstante, la serpiente me amenazó y me escupió veneno por los colmillos, de modo que no me quedaba otra alternativa que contemplar con horror cómo agarraba al rinoceronte y lo estrujaba con su formidable fuerza. Éste rechinó y se rebulló soportando la presión.

—¡Lucha, Rino, lucha! —grité. Yo no podía hacer nada más y él, como a cámara lenta, se fue quedando inmóvil, aplastado por los poderosos anillos del reptil.

Yo sabía que Rino había perdido la batalla, y a continuación la serpiente dirigiría su mortífera atención hacia mí.

Pero el animal metálico tenía reservado un último truco. Mientras la serpiente lo aplastaba como una apisonadora viviente, el termostato del rinoceronte indicó: EXTREMADAMENTE CALIENTE. Los costados de metal se pusieron rojos a causa del calor, y la serpiente chilló de dolor, pero no lo soltó, porque sabía que si lo hacía, el rinoceronte todavía tendría suficiente fuerza para clavarle su cuerno letal.

Así que continuó apretándolo, y el rinoceronte se puso más y más caliente; los costados parecían hornillos, de tal manera que asó a la serpiente sobre la piel de metal, como si se tratara de un trozo de panceta en una sartén.

El reptil, humeante y totalmente cocinado, expiró. Pero el rinoceronte ya no podía recuperarse del esfuerzo realizado, y el pobre animal, aplastado, se estremeció y explotó.

Me escondí debajo del helecho mientras trozos de metal ardiente y cachos de serpiente caían por todas partes. A todo esto una enorme canica de cristal bajó del cielo y rodó hasta mí; la cogí y comprobé que era uno de los ojos del rinoceronte de vapor. Me mordí el labio para que no se me saltaran las lágrimas y me lo guardé en la mochila. Era el triste final de mi aventura vivida con ese valiente y extraordinario animal, aunque por lo menos tenía algo para recordarlo... ¡y una prueba de que había sido real!

Los trozos de metal continuaban cayendo y enseguida la tierra se cubrió de metralla al rojo vivo. De repente, ¡PAF!, la hierba seca prendió en llamas y el fuego recorrió el suelo a una velocidad alarmante. Recogí un trozo de serpiente cocinada y corrí hacia la jungla antes de que el fuego me cortara la vía de escape.

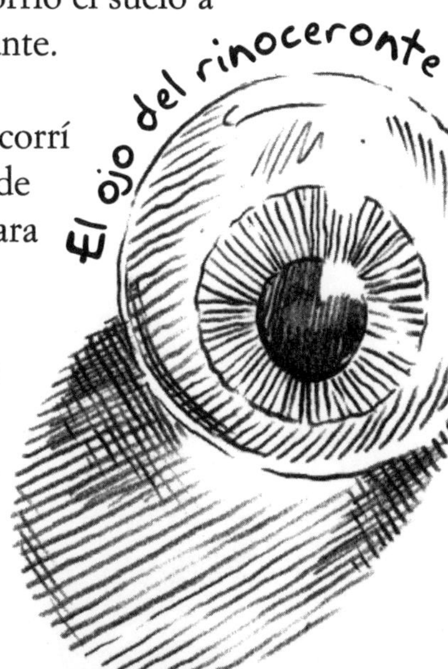

Me interné entre los árboles y me di la vuelta para contemplar la escena del desastre del que acababa de escapar.

El ojo del rinoceronte

Los cientos de trozos de mi pobre amigo cubrían el suelo, mientras que la manada de hienas hambrientas que nos habían estado siguiendo todo el día merodeaban por entre el fuego y los montones de metal humeante; gruñían y se peleaban mientras se precipitaban sobre los restos de la serpiente que se habían esparcido por todas partes. Eso me recordó lo hambriento que yo también estaba y mordí mi hamburguesa de reptil con voracidad.

Luego, antes de que las hienas me vieran, me abrí paso a través de la densa y abundante maleza y penetré en las profundidades de la jungla. Mantenía los ojos abiertos y los oídos atentos a cualquier peligro, pero todo estaba extrañamente silencioso.

Mi primera noche en la jungla

Árboles de los más variados tonos de verde se alzaban hasta gran altura, y sus gruesos troncos sin ramas se elevaban hacia las tenebrosas copas. Siempre que podía seguía el rastro de algún animal a través de la densa maleza, y, cuando encontraba el camino cortado, me abría paso con mi navaja cortando helechos y lianas.

De vez en cuando el grito distante de un animal o el susurro cercano de las hojas rompía el fantasmagórico silencio, y yo me ponía muy nervioso. Porque no dejaba de recordar los terroríficos ojos que había visto al otro lado de la enorme llanura, y deseé que el rinoceronte de vapor todavía estuviera a mi lado.

Al llegar a un claro, me detuve en seco. En él había un lago, amplio y transparente, hasta el cual llegaba un riachuelo muy parecido al que había al final de mi jardín; producía un sonido tintineante idéntico y el fondo era igual de pedregoso y lleno de musgo.

«¿Será el mismo riachuelo? —me pregunté—. ¿Acaso estoy a un tiro de piedra de la puerta trasera de mi casa?»

Quizá mi jardín se encontraba al otro lado de la

maraña de arbustos... como si fuera un portal de una historia de ciencia ficción.

Eché a correr con el corazón latiendo desenfrenado.

—¡He llegado! —grité a pleno pulmón mientras atravesaba el follaje—. ¡Por fin estoy en casa!

Pero solamente me respondieron los gritos de una bandada de loros de color escarlata que atravesaron las copas de los árboles. No era, pues, ninguna puerta mágica para entrar en casa, sino que todavía estaba en la jungla, una jungla que podía hallarse en cualquier parte del mundo... o de vete a saber dónde.

De repente me sentí muy cansado y me dejé caer a la orilla del riachuelo; destapé mi botella de agua y la metí en él hasta que se llenó del todo. Entonces la miré al trasluz para ver si había algún ser horrible nadando en el agua, y, hecho esto, bebí un trago tras otro de esa agua fría y clara. Después busqué un lugar para pasar la noche.

Supuse que sería más seguro quedarme en lo alto de un árbol, lejos del alcance de las fieras nocturnas que merodearan por el bosque, así que recogí la mochila y trepé por un árbol gigante.

Como la corteza era rugosa, subí con bastante facilidad y enseguida llegué a una enorme rama que atravesaba la jungla a unos treinta metros del suelo; era tan ancha que se podía caminar por ella, y, cuando llegué casi donde se acababa, me encontré en una plataforma cubierta de hierba y hojas. Era casi como si alguien la hubiera construido especialmente para dormir.

Ahora estoy acurrucado bajo las densas y húmedas copas de los árboles e intento anotar todo lo que ha sucedido. Éste es el segundo día que no he conseguido llegar a casa a tiempo de merendar, y me pregunto cuántas noches más tendré que acampar bajo las estrellas. Pero, pese a todo, no me importa porque estoy viviendo la aventura de mi vida en una tierra misteriosa, y me siento seguro y cómodo en este rincón de la jungla, aunque estoy realmente cansado después de todo lo que ha pasado, y casi no logro mantener los ojos abiertos.

Tengo... que... dormir... un... poco.

¡Si hubiera sabido que me observaban desde las copas de los árboles, no me habría dormido con tanta tranquilidad!

El techo de la jungla

Al día siguiente me desperté temprano y me quedé un rato medio adormecido contemplando el revoloteo de una extraña y preciosa mariposilla; zumbaba alrededor de las enormes flores de color púrpura de las enredaderas que colgaban de los árboles cercanos, y bebía el néctar con una lengua larga como un cordón de zapato.

La mariposilla siguió yendo de flor en flor mientras yo me quitaba el pijama, me ponía mi ropa y me colgaba la mochila al hombro. Era una visión tan bonita que me pregunté por qué me había sentido tan nervioso la noche anterior.

¡Pero en ese momento una mano enorme y peluda salió de las copas de los árboles y me levantó al aire!

Ante mí tenía aquellos oscuros y furiosos ojos que había visto en la jungla el primer día; pertenecían a un colosal gorila de espalda plateada.

El animal soltó un gruñido, me agarró con los pies y, sujetándose con los fornidos brazos, fue saltando de un árbol a otro.

—¡Socorro! —grité mientras, mirando hacia abajo, veía el suelo como una mancha borrosa y muy lejana—. ¡Detente! —Le golpeé los tobillos y le tiré del áspero pelo negro, pero creo que no notó nada.

¿Iba a servirle de desayuno? Después de haber escapado del cocodrilo, de las hienas y de la serpiente, esta situación me pareció muy injusta. ¿Qué pasaba en este lugar que todo bicho viviente intentaba comérselo a uno? ¡Pero pronto descubriría que el gorila no buscaba el desayuno!

Durante horas saltamos de árbol en árbol. Él no se cansaba nunca y en ningún momento aminoró la velocidad. En cambio, yo estaba tremendamente mareado y con el estómago revuelto de ir tanto rato colgado y de ver pasar por mi lado las hojas de los árboles como manchas borrosas. Entonces el gorila se encaramó por las ramas cada vez más alto, y ante mis ojos desfilaron las imágenes confusas de caras ceñudas que enseñaban los colmillos, hasta que, cuando ya parecía que no podíamos subir más, el animal se detuvo.

Habíamos llegado a nuestro destino: ¡una ciudad de gorilas en el cielo!

A nuestro alrededor se extendía un inmenso y complicado entramado de plataformas, construidas en las copas más altas de los árboles, que descendían por entre el follaje desde una altura equivalente a unos seis pisos, conectándose por pasarelas, puentes y lianas.

Aunque todavía lo veía todo un poco turbio después del viaje colgado del gorila, observé que las plataformas estaban hechas con planchas de madera y cortezas, atadas entre sí con lianas. Las planchas eran bastas y parecía que las hubieran arrancado de los árboles usando la fuerza bruta. Algunas plataformas estaban valladas y otras disponían de tejados desvencijados y paredes de hojas entretejidas.

¡Allí vivía una colonia de gorilas! Aquellos animales se desplazaban entre las plataformas, descansaban en las ramas de los árboles o se dedicaban a acicalar a algún compañero; algunos de ellos, llevando bebés entre los brazos, saltaban de árbol en árbol colgados de las lianas, mientras que otros se detenían en alguna plataforma para charlar con un colega o coger alguna fruta y continuar su camino, como si estuvieran paseando por un centro comercial.

Todos estaban realizando sus tareas cotidianas, pero en cuanto nos vieron se pusieron a armar mucho jaleo, a chillar y parlotear. El inmenso *Espalda Plateada* que me conducía trepó hasta la plataforma más alta y me dejó caer en ella.

Me quedé tumbado y aturdido mientras el gran mono se golpeaba el fornido pecho, como si fuera un enorme tambor para llamar al orden a sus compinches.

La tribu se reunió alrededor de nosotros y él les habló con una serie de muecas y gruñidos. Yo no comprendía qué estaba sucediendo, pero parecía que él estaba muy contento de haberme capturado. Me clavó el dedo en la barriga, me sentó en el suelo, me puso de pie y me dio un empujón con un dedo grueso y peludo que me hizo tambalear. Atontado como estaba, no era capaz de ofrecer resistencia.

Los demás parloteaban, encantados, pero en cuanto uno de ellos intentó cogerme, *Espalda Plateada* emitió un grito de advertencia y enseñó unos dientes impresionantes.

Los restantes animales se apartaron y observaron desde lejos cómo él jugaba conmigo como si yo fuera un muñeco

¡AAAAAH!

de trapo. Eso era precisamente lo que me consideraba: una especie de muñeco. ¡Yo era algo así como un peluche del gorila!

¡Qué vergüenza!

Di un vistazo para averiguar si había algún lugar por donde escapar, pero era imposible. Estábamos arriba del todo de los árboles de la jungla y los monos eran tan ágiles que me atraparían antes de que yo iniciara el descenso. De modo que opté por esperar una oportunidad y observar qué sucedía.

La mascota de los gorilas

Las cosas van de mal en peor: ¡estoy encerrado en una jaula! *Espalda Plateada* la ha construido con ramitas tan fuertes y flexibles como látigos, y la ha colgado en su propia plataforma; me mete en ella todas las noches, o cuando sale de caza. No obstante, eso no me molesta mucho, porque estoy tan contento de que me dé un respiro que ni siquiera me he preocupado todavía de escapar. Así pues, en los ratos en que no le sirvo de diversión, duermo en la jaula. Pero creo que ya es hora de actualizar mi diario.

Antes de continuar, prometedme una cosa: si

alguna vez tenéis un perrito o un periquito, POR FAVOR, no le hagáis hacer números, ni lo obliguéis a mendigar o a dar volteretas, ni le enseñéis a hablar; dejadlo, por el contrario, que se comporte como un perro o un pájaro. ¡Sé lo humillante que resulta que te fuercen a hacer tonterías un día tras otro! *Espalda Plateada* me empuja, me da codazos, me obliga a caminar de un lado a otro, o adelante y atrás, hasta que yo chillo de aburrimiento. ¡Y eso todavía le gusta más! Le encanta que le grite: «¡Déjame en paz, pedazo de lelo peludo!», aunque, por supuesto, no entiende ni una palabra y se limita a sonreír de esa forma tan tonta, me empuja de nuevo y me ordena otra vez que camine sin cesar.

He llegado a perder la noción del tiempo e ignoro si estamos a martes o a miércoles, o si llevo en esta jungla dos días o dos semanas; lo único que sé es si es de día o de noche. En este momento ya ha anochecido, y la ciudad de los gorilas está iluminada por cientos de lámparas muy bonitas. Sin embargo, no tengo ni idea de dónde las han sacado, porque no es posible que tengan electricidad. Pero estoy demasiado cansado para pensarlo, así que me voy a dormir después de un día realmente agotador de ir arriba y abajo para ese gorila idiota. Mañana escribiré un poco más. Hoy ha hecho sol.

Al día siguiente

Hoy no ha sucedido gran cosa; una vez más he caminado arriba y abajo. Luego, sentado en la jaula, he contemplado cómo dormía el gorila, sabiendo que, en cuanto se despertara, me obligaría a hacer numeritos para él. Hoy ha hecho sol.

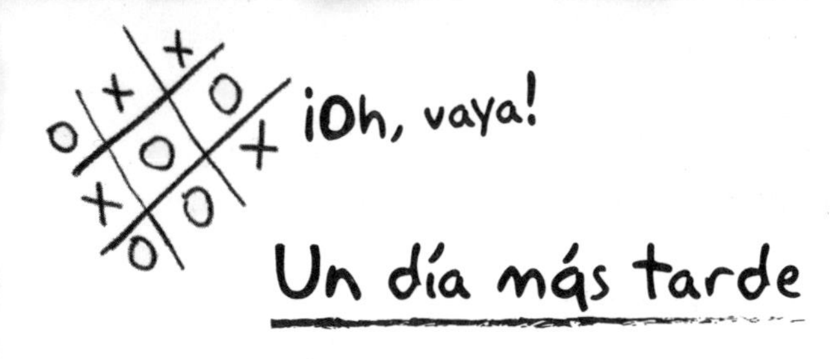

Un día más tarde

Hoy, después de la salida del sol, *Espalda Plateada* ha salido de caza y me ha dejado en la jaula. De puro aburrimiento, he intentado cortar los barrotes con la navaja, pero son tan fuertes como el cuero y la hoja no es lo bastante potente. El diente del cocodrilo tampoco me ha servido de nada; la punta es afilada y he logrado clavarla en el barrote; a pesar de todo no he conseguido utilizarlo como sierra.

Tengo que intentar encontrar un cuchillo nuevo en algún rincón. Hoy ha hecho sol.

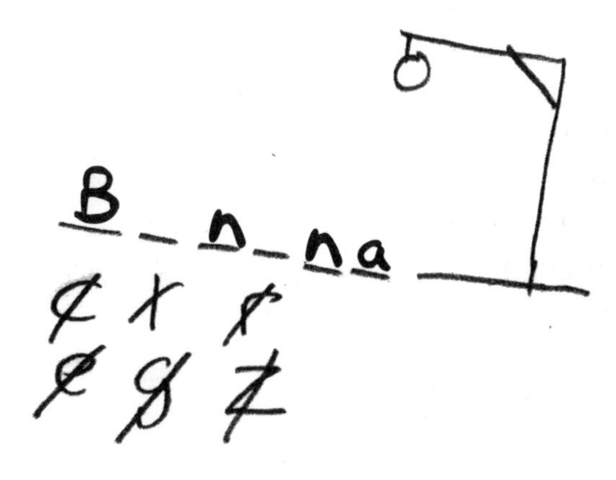

¿A que no lo adivinas?

¡Hace sol!

Otro día soleado

Esta mañana *Espalda Plateada* me ha ordenado que caminara de un lado a otro; he pasado varias horas así, y luego se ha marchado. Entonces algunos gorilas se han acercado a mi jaula, me han traído golosinas y han intentado hablar conmigo, aunque, por supuesto, no les he entendido ni una palabra. Supongo que mi dueño acaba de regresar porque todos se han alejado, así que será mejor que vuelva a esconder mi diario.

Al cabo de muchos días (soleados)

Cada vez que *Espalda Plateada* se marcha, los otros gorilas vienen a visitarme. Repitiendo sus gruñidos una y otra vez, han conseguido enseñarme algunas palabras y ahora sé cómo pedir un trozo de caña de azúcar o un jugoso trozo de papaya cuando me apetece.

Los gorilas de la manada son mucho más simpáticos que *Espalda Plateada*, porque éste no es más que un matón que los aterroriza para mantener su liderazgo. Me he dado cuenta de que ya están hartos de él y me gustaría saber si me defenderían en caso de que me enfrentara con el gran dictador.

Mi rutina diaria se ha convertido en algo tan soso que no voy a añadir nada a este diario hasta que suceda algo EMOCIONANTE...

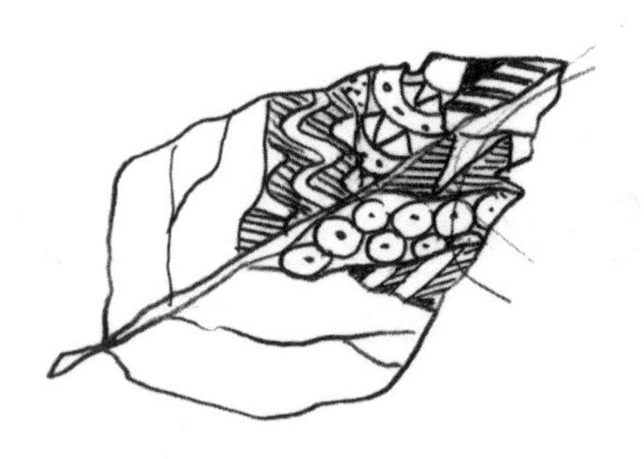

¡Me parece que se
me está poniendo
cara de banana!

El cerebro de
Espalda Plateada a tamaño
real.

Estoy aburriiiido.

He encontrado este bicho feísimo en el diario; es muy peligroso. Si te pincha con la cola te quema al instante. ¡Lo he aplastado al cerrar el libro; perdón por el desastre!

¡HA

SUCEDIDO

ALGO

EMOCIONANTE!

Un desafío

Un día, cuando *Espalda Plateada* regresó al campamento después de ir a cazar a la jungla, descubrió que sus congéneres habían abierto mi jaula; ellos, sentados a mi alrededor, intentaban hablar conmigo a base de gruñidos y haciendo signos con las manos. El gorila no se mostró impresionado, pero chilló como un loco y cargó contra la manada, que se escabulló. Entonces me levantó del suelo, y, rugiendo, se dio la vuelta y me exhibió ante todos. El mensaje estaba claro: yo era propiedad suya, así que... ¡mucho cuidado!

Pero yo ya estaba harto. Había llegado el momento de actuar, pues habían transcurrido muchos días y yo me aburría y echaba de menos mi casa. No estaba dispuesto a continuar siendo el juguete de aquel monstruo más tiempo. De modo que en cuanto me dejó en el suelo y me empujó para obligarme a caminar otra vez, le aparté la mano de un golpe.

—¡No! —grité señalándolo con el dedo—. Se ha acabado, ¿me oyes, matón? —Le hablaba en mi idioma, claro, pero el significado era evidente—. No voy a continuar siendo tu mascota. ¡De ninguna manera!

Los otros gorilas chillaron, encantados, pero él

Porrazo me desafía
a un pulso.

rugió indignado, levantó el brazo y lo dejó caer como un martillo. Lo esquivé en el momento en que el puño iba a darme en la cabeza. ¡Me habría aplastado como a un huevo hervido! La manada estalló en risas de nuevo y yo me aporreé el pecho y grité de miedo y de alivio.

Espalda Plateada emitió un gruñido grave, se me enfrentó y, muy enojado, me clavó aquellos ojos rojos que tenía mientras fruncía el peludo entrecejo. Levantó un enorme brazo muy despacio, lo dobló a la altura del codo y abrió la correosa mano. Lo entendí inmediatamente: ¡el gran mono me desafiaba a un pulso! Tragué saliva. ¿Cómo iba a salir de ésta? ¿Y qué me sucedería CUANDO PERDIERA?

Un pulso con un gorila

Espalda Plateada y yo nos sentamos en el centro de la plataforma principal de la ciudad de los gorilas; en este lugar, como averigüé más adelante, era donde se realizaban las ceremonias importantes y las celebraciones. El resto de la manada se sentó en círculo a nuestro alrededor, dándose codazos para conseguir la mejor posición, mientras que un gorila anciano, de pelo blanco y sucio, se encaminó hacia el centro del círculo arrastrando una enorme rama, que colocó entre el enojado mono y yo.

Esa rama había sido escogida con gran cuidado, porque uno de los extremos se curvaba y quedaba más alto, lo cual permitía que tanto el gorila como yo apoyáramos el codo, de tal manera que ambas manos quedaran al mismo nivel; un requisito obligado en una competición justa.

¿He dicho justa? ¿Intentaba engañarme a mí mismo? Eché un vistazo a mi verdugo: de hombros y brazos musculosos y cuyo puño era del tamaño de mi cabeza... Yo no tenía ninguna probabilidad de ganar. ¡Ni una en absoluto! A no ser que diera con algún plan inteligente.

Mi mente se me disparó mientras la ceremonia daba comienzo, pero no se me ocurría absolutamente nada.

El anciano gorila blanco se dirigió a sus congéneres con una serie de gruñidos y signos para comunicarles las reglas de la competición. ¡Y en ese momento constaté algo inusitado: le entendía! Bueno, comprendía algunas de las cosas que decía; estaba visto que en mis breves conversaciones con los gorilas había aprendido más de lo que suponía.

Ese aprendizaje era un buen logro y algo que impresionaría a mis amigos cuando volviera a casa. Pero antes de pensar en ello, tenía que superar la rigurosa prueba contra *Espalda Plateada*.

«Concéntrate, Charlie —pensé—. Concéntrate.»

Lo que conseguí entender de las explicaciones del viejo gorila fue lo siguiente: «Amigos, bienvenidos. Ésta es una ocasión muy importante: *Porrazo* es el jefe, pero el gorila rosado y sin pelo ha desafiado su autoridad. Y *Porrazo* ha decidido que la disputa se resolverá con un pulso».

«Por supuesto que ha decidido eso —pensé mientras mi mente todavía daba vueltas buscando un plan—. ¡Difícilmente me habría desafiado a una partida de ajedrez!»

El anciano gorila continuó diciendo: «El ganador de la competición será el jefe de los gorilas y el perdedor se internará en la oscuridad de la jungla para siempre. ¡Que empiece la prueba!».

Yo me asusté mucho al oír eso de internarse en la jungla, porque si me tocaba a mí, acabaría perdido entre los árboles para el resto de mi vida. (¡La cual, probablemente, no sería muy larga!)

Era evidente que antes de meterme en la jungla tenía que conocer el laberinto de caminos que la recorrían, y eso significaba que debía hacerme amigo de algunos de los gorilas que habían ido a verme a la jaula. Necesitaba, pues, encontrar la manera de ganar ese enfrentamiento tan desigual.

La multitud, excitada, dio palmadas contra la plataforma a un ritmo amenazador, y *Porrazo* se paseó por el escenario como si fuera un boxeador de peso pesado. Yo no cesaba de pensar, y cuando los golpes se convirtieron en un ruido atronador, se me ocurrió una idea de lo más insignificante. Pero todo dependía de la codicia de mi contrincante...

Ambos nos colocamos ante el tronco, y yo, nervioso, puse el brazo encima de éste, mientras *Porrazo* cerraba su gigante mano sobre la mía. Sus ojos, rojos como llamas, se clavaron en los míos, y esperé la señal de inicio. Si ponía en práctica mi plan, tenía que hacerlo en el momento exacto.

Cuando el anciano gorila estaba a punto de golpear el tronco para que comenzara la prueba, grité:

—¡Eh, un momento! —Rebusqué en la mochila y saqué la bolsa de caramelos. *Espalda Plateada* me miró con suspicacia y yo me metí una golosina en la boca—. ¡Mmmm! —exclamé—. ¡Buenísimo! Vale, adelante. —Y me agaché para guardar los caramelos.

El gorila gruñó y alargó la mano que le quedaba libre.

—¡Ah, no, de ninguna manera! —protesté yo,

mientras me metía los caramelos en el bolsillo. Pero el gorila gruñó con más fuerza y me apretó la mano—. Vale, vale —dije, y saqué la bolsa otra vez—. Sírvete tú mismo. —¡El gran mono cogió dos caramelos!

Mientras los chupaba, lo observé para comprobar su reacción. Yo sabía que el animal no estaba acostumbrado al fuerte sabor de los caramelos de menta, y en cuanto vi que se le saltaban las lágrimas, dije:

—Vale. Estoy listo.

El anciano gorila dio la señal. *Porrazo* dejó escapar una exclamación de sorpresa en cuanto notó el picor de los caramelos en la garganta, ¡y yo le empujé el brazo como si fuera el tallo de una flor enclenque!

Espalda Plateada abrió la boca, chillando y bramando, y pateó el suelo. Los restantes monos lanzaron vítores y se echaron a reír mientras me levantaban por los aires con gesto triunfal. ¡Había ganado! Yo era el nuevo jefe de la ciudad de los gorilas. Pero al ver que *Porrazo* se retiraba avergonzado, me dije que algún día volveríamos a encontrarnos. Y, en medio de crujidos de hojas, él desapareció.

La coronación de un rey

Los gorilas estaban encantados de haberse librado de la ley dictatorial de *Porrazo.* Así pues, organizaron una serie de celebraciones que duraron varios días; a menudo subían a las ramas más altas y chillaban en dirección a la jungla para que *Espalda Plateada*, estuviera donde estuviese herido en su orgullo, los oyera; le advertían que no volviera nunca.

¡Una parte de esas alborozadas celebraciones consistió en mi coronación como nuevo jefe de la manada! Nos pusimos a bailar mientras un grupo de gorilas tocaba diferentes ritmos en unos troncos vacíos y disfrutamos de gran variedad de fruta, tanto fresca como secada al sol, que habían escogido especialmente por su sabor dulce. Después de la fiesta pronunciaron un discurso tras otro y continuaron así mucho rato, y cuanto más zumo fermentado de frutas bebía, menos entendía lo que parloteaban.

Por fin, después del baile, del banquete y de los discursos, llevaron una silla de madera tallada toscamente hasta la plataforma de ceremonias. ¡Era mi trono!

El anciano gorila blanco me condujo hasta esa silla mientras los restantes monos tarareaban un encantamiento desconocido en voz baja. El canto fue creciendo en intensidad, y, cuando llegó a un tono agudo que rompía los tímpanos, me pusieron sobre los hombros una capa de hojas ribeteada con flores doradas. A continuación el anciano gorila levantó en el aire una corona hecha de hojas trenzadas, y los cantos cesaron. Entonces, en completo silencio, me colocó la corona en la cabeza, y los gorilas exclamaron al unísono: «¡Te saludamos, rey Charlie!».

Ahora mismo,

¡Te saludamos, rey Charlie!

desde mi plataforma entre los árboles, todavía oigo las exclamaciones de alegría de los componentes de la manada. La fiesta ha vuelto a empezar, pero me he escabullido para escribir estos fantásticos sucesos.

¡Han pasado tantas cosas!

Me he convertido en el jefe de una ciudad de monos, pero no tengo ni idea de qué significa. ¿Qué debe hacer un jefe gorila? ¡Trepo bastante bien a los árboles para ser un niño de ocho años, pero en eso de colgarme de rama en rama a cientos de metros del suelo, soy un desastre!

De vuelta a la escuela

¡Sí, he vuelto a la escuela! ¡Pero ahora es mucho más divertido que cuando iba a St. Beckham's!

Aunque no pretendo ser el rey de los monos toda la vida, creo que si no quiero perderme en la jungla, debo conocerla bien. ¡Y la mejor manera de conseguirlo es parecerme lo máximo posible a un gorila!

Por eso todas las mañanas me dedico a aprender su idioma. Me ha costado un poco averiguar que existen unas cincuenta palabras que significan «banana», pero, aparte de eso, el aprendizaje no ha resultado demasiado difícil.

He aquí algunas frases importantes en gorila, por si alguna vez os encontráis en una situación difícil:

Mmwa (con la palma de la mano derecha cerca del pecho): Amigo.

Mmwa (con la palma de la mano derecha lejos del pecho): Enemigo mortal.

Cha: Banana.

Woomwawoomwa (con las palmas de las dos manos levantadas y alejadas del pecho): ¡Calma, calma!

Neeeeaaaaghcha! (saltando y golpeando el suelo con los puños): No, no quiero otra banana, gracias. Me importa un bledo no ver nunca más otra banana.

Por las tardes me reúno con los gorilas más jóvenes para aprender a colgarme de rama en rama.

Ellos lo llaman «caminar por el cielo», y es la forma más rápida (y la más guay) de trasladarse por aquí.

Mientras realizo ese tipo de prácticas, he hecho dos buenos amigos: *Coge* y *Tira*. Los tres pasamos horas colgándonos de los árboles, persiguiéndonos unos a otros y compitiendo para comprobar quién salta más alto. Al principio, cuando empezamos, yo me caía cada vez que saltaba, pero después de estar semanas con los brazos y la cabeza doloridos, ya he

Coge aprendiendo a caminar por el cielo.

logrado caminar por las copas de los árboles a una velocidad de vértigo.

No obstante, no todo es divertido, pues como rey de los gorilas, tengo un montón de responsabilidades.

Uno de mis deberes consiste en resolver cualquier disputa que se produzca en el campamento, e intento hacerlo evitando los viejos métodos de *Porrazo*, es decir, solucionarlo todo con una lucha a muerte. Con el tiempo y a base de seguir los consejos indicados en los libros de exploradores (¡ser justo pero firme!), me he convertido en un jefe respetado por los habitantes del lugar.

Pero no tardaré mucho en comunicar a la manada que tengo que marchame, porque creo que ya estoy preparado para sobrevivir por mi cuenta, y la verdad es que empiezo a echar mucho de menos la comida de mi madre. Así que he decidido que mañana saldré a explorar; a ver si por fin encuentro un camino que me permita salir de la jungla.

¡Un encuentro terrorífico!

¡Ojalá me hubiera quedado en la seguridad de la ciudad en vez de aventurarme en la densa e intrincada jungla yo solo! Porque esta mañana he tenido una verdadera EXPERIENCIA TERRORÍFICA. Esto es lo que ha sucedido...

Ya había pasado de largo los puestos de vigilancia de los fornidos monos que hacían guardia fuera de la ciudad, e iba saltando por los árboles de rama en rama mientras tarareaba una cancioncilla en gorila. Disfrutaba de mi soledad, así como de los rayos del sol, que se filtraban por entre las hojas, y de los trinos de los pájaros. Pero justo cuando pensaba en lo bonita y tranquila que podía ser la jungla... ¡PAM!, algo me explotó encima del hombro y me hizo caer de la rama al suelo.

¡Después de que Porrazo se abalanzara sobre mí, habría tenido que aprender la lección!

Me incorporé poco a poco y me froté la cabeza mientras alzaba la vista hacia las ramas. ¿Qué me había golpeado? Me miré el hombro y vi que el jugo de una papaya se escurría por mi chaqueta; la fruta, aplastada, había caído al suelo cerca de allí, sobre la alfombra de hojas.

«Habrá caído de un árbol», pensé, y me puse de pie para sacudirme.

¡Pero entonces, acribillándome la espalda, clavándoseme en la cabeza y arañándome la cara, una lluvia de frutas y nueces me cayó encima! De un brinco me metí entre la maleza mientras el corazón me latía a toda velocidad a causa de la sorpresa y del pánico. ¿Qué estaba sucediendo?

Volvió a reinar el silencio, y, con muchísimo cuidado, aparté las frondas de un helecho gigante y escudriñé los árboles.

Acto seguido, otro diluvio de nueces, frutas y piedras se me vino encima y me lancé al suelo, rechinándome los dientes, mientras los proyectiles rebotaban contra mí con mucha violencia. Afortunadamente, llevaba puesta la chaqueta y conseguí echarme la capucha sobre la cara para protegérmela; después me hice un ovillo en el suelo y esperé a que el ataque terminara. Al fin todo quedó de nuevo en silencio, y, al alzar la vista a hurtadillas, percibí un ligero movimiento; una silueta oscura se proyectaba encima de mí, pero sus rasgos quedaban ocultos tras la cortina de hojas. ¿Qué sería?

Aguardé mucho tiempo, confiando en que mi enemigo oculto se hubiera ido; las horas transcurrieron en un silencio absoluto, y por fin llegué a la conclusión de que me hallaba a salvo. Estaba a punto de volver a salir al camino, cuando...

—¡AAAAUUUUUAA!

Un ser de rostro horrendo —púrpura y azul— prorrumpió en chillidos, y se abrió paso a la fuerza entre el follaje a pocos centímetros de mi nariz. Aterrorizado, eché a correr a toda prisa y me sumergí entre la maleza, mientras millones de misiles, arrojados desde los árboles, me caían encima.

Estuvieran donde estuviesen esas malignas criaturas, oía el estruendo que hacían en la jungla, detrás de mí, pues aullaban, chillaban y ladraban como si fueran perros salvajes.

—¡Fuera de aquí! —grité mientras saltaba de rama en rama y trepaba velozmente—. ¡Dejadme en paz!

Los animales, pisándome los talones, gritaron de placer.

Entonces, mientras subía hasta las ramas más altas, uno de ellos se me echó encima y me clavó los dientes en el trasero.

—¡Aaay! —chillé.

Di un golpe a ciegas, atrapé al animal por el hocico y conseguí que me soltara.

Me alejé lo más deprisa que pude por entre los árboles, rezando para que lograra quitarme de encima a esos temibles atacantes; estaba seguro de que si me atrapaban, nunca regresaría a mi casa. Pero cuando me acerqué a la ciudad de los gorilas,

las criaturas se quedaron atrás y se perdieron en la jungla.

Nunca me había alegrado tanto de ver a mis amigos gorilas balanceándose en las ramas, pero me sentía tan atribulado y avergonzado por la manera en que había huido de esa extraña cara pintada, que evité a todo el mundo y trepé con rapidez a mi plataforma. Asustado y agotado, me tumbé en la cama.

Más tarde

Ha sido un día realmente horroroso. Ahora voy a intentar dormir un poco y espero no tener pesadillas.

Al día siguiente

He tenido unos sueños horribles, en los que aparecían un montón de caras pintadas que me sonreían irónicamente como si fueran máscaras tribales.

Me parece que todavía no estoy preparado para enfrentarme a la jungla yo solo. ¡Voy a tener que pedir ayuda!

He soñado con
caras pintadas, que
tenían aspecto de
máscaras tribales.

Malas noticias

Cuando pedí a *Coge* y a *Tira* que me ayudaran a encontrar un camino que me permitiera salir de la jungla, se entristecieron mucho al saber que quería marcharme, pero como buenos amigos que eran, comprendieron por qué deseaba irme. Me sugirieron que les preguntáramos a los mayores si habían oído hablar de una vía de salida. Pero las noticias no fueron buenas...

—¿Abandonar la jungla, dices? —se extrañó *Safner*, un macho enorme, jefe de los guardias que vigilan los alrededores de la ciudad—. Nadie la abandona. ¡La jungla es el mundo entero!

—Pero tiene que acabarse en alguna parte —repliqué yo, repentinamente preocupado.

—Nuestra ciudad se encuentra en el corazón de la jungla impenetrable, y ésta ocupa cientos de kilómetros hasta que llega a los muros del fin del mundo —explicó *Nanog*, una hembra muy vieja—. Pero es imposible trepar por ellos porque alcanzan una altura de cientos de kilómetros y son verticales y completamente lisos. Nadie abandona la jungla.

—¿Y qué hay al otro lado de esos muros? —pregunté.

—El cielo —contestaron todos los gorilas al unísono.

—Pero ¿nadie ha intentado trepar por ellos jamás?

—Una vez, durante la gran inundación —explicó *Nanog*—, un grupo de gorilas intentaron escalarlos para ponerse a salvo. ¡Pero la ascensión era tan peligrosa que cayeron y murieron antes de haber llegado a la mitad!

—Nadie abandona la jungla jamás —afirmó *Safner* con énfasis.

—Pero si nadie ha escalado esos riscos, ¿cómo sabéis qué hay tras ellos? —protesté.

—No necesitamos escalarlos para saberlo —dijo *Nanog*, que se empezaba a enojar.

¿Una catapulta gigante?
Cliff
Un mono con cabeza de cacahuete
¿Mmm... t..?
¡Un mono con cabeza de cacahuete!
Arbusto pequeño
¡No es posible!
¡Algo que empieza por T!
No me incordies
Un laberinto de jungla
Increíble jungla
Quiero un poco de chocolate

—¡Se puede ver el cielo perfectamente desde abajo!

Suspiré. ¡Eso me pasaba por pedir ayuda! Estaba seguro de que los gorilas me habían descrito los límites de un profundo barranco, como el de la cascada que me arrastró. Y si la jungla se hallaba en un valle profundo, ¡tardaría cientos de vidas en descubrir la manera de escapar de ella! Pero no voy a permitir que mis aventuras terminen aquí porque, aunque es divertido vivir con los gorilas, ¡no quiero pasarme toda la vida comiendo bananas y jugando a corre que te pillo colgado de las ramas! No importa el tiempo que tarde, pero encontraré la salida. ¡DEBO ENCONTRARLA! Seguiré escribiendo cuando se me haya ocurrido un plan...

¡Malas noticias de verdad!

Ha transcurrido mucho, mucho tiempo desde que escribí por última vez en este diario, porque en todos mis ratos libres me he dedicado a buscar un camino que me condujera al límite de la jungla. Y, realmente, he hecho algunos descubrimientos extraños pero fantásticos.

El devorador de trufas

El devorador de trufas es un pariente lejano del

cerdo y huele peor que un montón de hojas de col podridas; se supone que tiene un sabor delicioso cuando se come, ¡pero huele tan mal que ningún animal es capaz de acercársele lo suficiente para cazarlo!

La bola de barro

Se trata de una burbuja de barro transparente que se arrastra por el suelo y excava agujeros en la tierra para esconderse. Si por despiste un animal la pisa,

lo atrapa de inmediato, y, como no tiene boca, le absorbe el cuerpo a través de la piel y deja a su presa con la carcasa entera pero vacía. ¡NO PISÉIS NINGUNA!

Sin embargo, aunque es fantástico haber descubierto a estos extraños animales, no he encontrado ninguna salida. ¡Hasta hoy!

Había ido con *Coge* y *Tira* a explorar una parte de la jungla que los gorilas visitan muy raramente, ¡cuando dimos con el pie de los riscos!

Estábamos colgándonos de los árboles para estirar los brazos antes de desayunar y, de repente, ¡APARECIERON! Vimos un muro de granito liso que se prolongaba a derecha e izquierda y se elevaba hasta desaparecer más arriba del denso follaje.

Aullé y me golpeé el pecho de alegría mientras *Coge* y *Tira* bailaban, compartiendo mi emoción. Pero cuando levanté la vista y miré hacia arriba, el corazón se me encogió: el muro ascendía muchísimo y no se veía ningún lugar donde agarrarse, ni tampoco se veía dónde acababa.

Los gorilas tenían razón: no sería capaz de subir, ni siquiera con el mejor equipo de explorador que existiera en el mundo. Mis dos compañeros intentaron animarme diciéndome:

—No te preocupes, al final encontrarás la salida. Aunque de cualquier manera no se está tan mal aquí, ¿verdad? ¡En la jungla hay todo lo que un gorila necesita!

Y tenían razón, la jungla es un lugar fantástico: me proporciona agua, comida, cobijo y amigos; me ha hecho fuerte y rápido, y enseñado qué es bueno para comer y qué es venenoso.

¡Pero cuando se hace de noche ya no soy un gorila, sino Charlie, y éste no es mi hogar!

Si encontráis una planta de color rojo brillante y con manchas, ¡no la comáis!

Por ese motivo, mañana volveré a los riscos, y los voy a recorrer de un extremo al otro del valle. ¡Tengo que descubrir si existe alguna manera de subir por ellos o si voy a quedarme atrapado en esta tierra de monos para siempre!

¡Malas, malísimas noticias!

No me ha sido posible volver a los riscos, y quizá nunca más tenga oportunidad de hacerlo porque ha sucedido algo terrible, y yo, como rey de los gorilas, ¡debo conducir a mi tribu a la batalla!

Esta tarde, mientras estaba la mar de relajado en mi plataforma, ha venido *Nanog*, la vieja gorila blanca, y se ha sentado a mi lado. Parecía preocupada.

—¿Qué sucede, *Nanog*?

—Los mandriles vendrán.

—¿Quiénes son los mandriles?

—Son una tribu de babuinos de cara azul que viven en la zona más alejada de la jungla. —He sentido cómo un estremecimiento me recorría la columna vertebral al darme cuenta de que ésas fueron las malvadas criaturas que me atacaron—. Son unos animales violentos y estúpidos —ha continuado explicándome *Nanog*—, porque no guardan alimentos para los tiempos de penuria, y, cuando la recolección en la jungla es escasa, pasan hambre. Primero se pelean entre ellos y luego nos atacan. Y cuando vienen, nos roban y se comen a nuestras crías; son más pequeños que nosotros, pero más rápidos y agresivos, y de dientes descomunales. Nuestros espías nos han dicho que ahora les gustan los pequeños gorilas de color rosa y se están preparando para atacar. ¿Cómo es posible?

«¿Los pequeños gorilas de color rosa?», pensé yo tragando saliva.

—Me encontré con unas criaturas de rostro azul —admití mientras me frotaba el trasero—. Pero eso ocurrió hace mucho tiempo.

—Los mandriles no olvidan nada, Charlie —me ha asegurado *Nanog* con el entrecejo fruncido—. Al parecer el que te mordió dijo a los de su clan que los pequeños gorilas de color rosa saben muy bien, y planean venir a buscarte, así como a nuestras crías. ¿Qué vamos a hacer?

¿Cómo iba a saberlo yo, si no era más que un niño perdido en la jungla a muchos kilómetros de distancia de su casa? Pero recordé que también era el rey de los gorilas y mi trabajo consistía en saber qué hacer en cada situación. Bueno, una cosa estaba clara: de ningún modo me ofrecería como aperitivo de los mandriles ni permitiría que esos monos de cara azul se comieran a ninguno de mis amigos.

—Les plantaremos cara —le he dicho a *Nanog*—. Tenemos que darles una lección que no olviden nunca. —Ella no parecía convencida—. ¿De cuánto tiempo disponemos antes de que lleguen?

—Ya se les ha visto en las cercanías de la ciudad —ha replicado *Nanog* mientras se ponía en pie para irse—. Creemos que atacarán esta semana. ¡Tienes que pensar en un plan, Charlie!

Mientras observaba cómo se alejaba la anciana gorila colgada de las ramas, fui consciente de qué significaba ser un rey: toda la tribu confiaba en mí para que la protegiera.

Pero si los gorilas no sabían cómo derrotar a sus viejos enemigos, ¿cómo iba yo a salir del apuro?

Nos preparamos para el ataque

Pasé toda la noche, completamente solo, mirando las estrellas que inundaban el cielo mientras intentaba que se me ocurriera una manera de salvar a mis amigos (¡y a mí mismo!). Por la mañana, ya había pensado un plan.

Creía que yo tenía la culpa de que los mandriles vinieran, y por eso decidí que debía enfrentarme a ellos yo solo. ¡Al fin y al cabo querían al gorila rosado! Y también me dije que si veían que un pequeño gorila sin pelo era capaz de encarárseles, tal vez se lo pensarían dos veces antes de volver a atacar nuestra ciudad.

A los gorilas no les gustó mucho esta idea, y me dijeron que no se quedarían de brazos cruzados contemplando cómo unos enemigos tan mortíferos se peleaban conmigo, pero cuando les expliqué que tenía intención de tenderles una trampa, me obedecieron.

En primer lugar les di instrucciones para que tejieran hojas y ramas para confeccionar una red enorme; luego doblamos unos bambúes, dándoles forma de aro, los hundimos en el suelo y los cubrimos con la red. Me había enterado de que los mandriles caminan por tierra, y, por lo tanto, intentarían obligarme a bajar de los árboles para llevarme a su terreno; pero, precisamente, yo quería que su plan se volviera contra ellos.

Así pues, ocultamos la red con hojas, y, colocando unos aros cada vez más pequeños, formamos un túnel largo y escondido que se iba estrechando de forma gradual hasta terminar en un pequeño agujero de salida, provisto de un lazo corredizo. Éste es el aspecto que tenía el invento:

Yo estaba bastante seguro de que podríamos atrapar a los mandriles dentro de la red. Pero no las tenía todas conmigo de ser lo bastante rápido para conducirlos hasta la trampa sin que me pillaran y se me comieran. Sin embargo, antes de que practicara el descenso de los árboles hasta el suelo, sonó la alarma. ¡El enemigo había sido visto muy cerca de la ciudad!

Estruendo en la jungla

No había tenido tiempo más que de subir a la plataforma en que se efectuaban las ceremonias cuando los mandriles aparecieron, y, en silencio,

asomaron la cara, de colores rojo y azul, entre el follaje.

Mis súbditos se habían escondido en la parte baja de los árboles, algunos de ellos entre las ramas inferiores y otros, en el suelo; y yo me enfrenté al enemigo solo, golpeándome el pecho con toda la fuerza de que fui capaz.

—¡Aquí estoy! —aullé—. ¡Venid a cogerme!

Un enorme macho se encabritó y me mostró los dientes, y, chillando, los mandriles atacaron. De entre los árboles salió un verdadero ejército de esos animales, subieron a la plataforma y me obligaron a bajar al suelo.

¡Caramba, eran rapidísimos! Descendí

estrellándome contra las hojas, sin haber podido hacer otra cosa que sujetarme a una rama para amortiguar la caída. Mientras tanto los mandriles me perseguían, gruñendo y castañeteando los dientes.

Cuando llegué al suelo, una de esas bestias se me echó encima mientras rugía y me echaba el cálido aliento en la espalda. Y si uno de mis gorilas no llega a salir de su escondite, muy cerca de allí, y la lanza por los aires, ¡todo se habría acabado para mí!

Cuando mi atacante cayó entre la maleza, se oyó un grito ahogado y yo corrí a toda velocidad hacia la entrada de la trampa.

Los demás mandriles me siguieron, rápidos como perros de caza, y entraron en la red escondida. Al estrecharse ésta, tuve que agacharme e incluso correr a cuatro patas, mientras ellos me perseguían gruñendo y castañeteando de nuevo.

En cuanto el último mandril hubo penetrado en el túnel, los gorilas salieron de entre la maleza, gritando y golpeándose el pecho, y provocaron que sus enemigos se internaran cada vez más en la trampa y no salieran de ella.

Yo llegué al final de la red justo a tiempo; atravesé la estrecha salida, tiré del lazo corredizo y cerré la salida con un nudo.

Los mandriles que iban delante de todo no podían darse la vuelta en ese túnel tan estrecho y los que iban detrás chocaron con ellos, así que se formó un amontonamiento de animales chillones y frenéticos.

Rápidamente, los gorilas cerraron el otro extremo del túnel y atrapamos hasta el último mandril.

A continuación arrastramos el montón de monos, que se retorcían en la red, por los caminos de la jungla hasta su lejano pueblo, donde los restantes congéneres salieron a recibirnos y observaron cómo descargábamos a nuestras presas.

El mensaje era evidente: habíamos atrapado a los poderosos guerreros mandriles con la misma facilidad con que habríamos recogido una gran cesta de fruta.

Entonces subí encima de la red y, enseñando los dientes y aporreándome el pecho, rugí:

—*Nnga mowee mmwa mwa. ¡Woopopomwadoomwa nyo!* (Habéis recibido una advertencia. Si nos atacáis otra vez, os arriesgáis a que os ocurra lo mismo. ¡La guerra ha terminado!)

Los mandriles asintieron chillando y nos convencimos de que nunca más volverían a atacar la ciudad de los gorilas.

¡Escapa! ¡Escapa!

Ya hemos regresado del pueblo de los mandriles y se está celebrando una gran fiesta. Todo el mundo baila y canta en las plataformas situadas debajo de la mía, pero no tengo ganas de participar. Veréis, los gorilas han insistido en concederme un premio por haberles conducido a la victoria, pero la verdad es que no quiero aceptar ese regalo.

Al principio creí que iban a darme una medalla o algo así, pero entonces *Nanog* me presentó a una enorme gorila, engalanada con una guirnalda de flores de color púrpura en la cabeza.

Yo no acababa de comprender por qué la vieja *Nanog* deseaba que la conociera. Pero adiviné lo que sucedía: me estaba presentando a su hija, la encantadora (pero también tremendamente peluda) *Gruñidora*. ¡Mi premio consiste en casarme con ella! ¡Uf!

¿Qué debía hacer? Sabía que rechazarla sería un insulto muy grave, pero no era mi intención casarme con nadie. ¡Soy demasiado joven para ello, y mucho menos con alguien

que tiene el pelo del pecho tan largo como mis piernas!

Así que la saludé tan educadamente como pude, y, bostezando con descaro, fingí estar agotado debido a la lucha contra los mandriles, y subí a mi plataforma.

Ahora, tumbado en mi lecho de hojas de banano, he llegado a la conclusión de que no puedo quedarme aquí ni una noche más. He hecho muy buenos amigos entre los gorilas y estoy muy triste por tener que dejar a *Coge* y a *Tira*, pero ya he tenido bastante, ¡y encima casarme con uno de ellos es ir demasiado lejos!

He decidido, pues, que me escaparé en silencio antes de la salida del sol, porque tengo miedo de que si le cuento mis planes a alguien, quieran adelantar la fecha de la boda.

¡Seguiré escribiendo en cuanto haya conseguido escabullirme!

Un amigo explorador

¡Por fin parece que tengo un poco de suerte! Esta mañana logré largarme sin que me vieran y llegué hasta los riscos sin que nadie me siguiera. Y lo que es mejor: he hecho un fantástico descubrimiento, ¡aunque es un poco espeluznante!

Iba caminando al pie de los riscos, buscando

desesperadamente una manera de trepar, cuando vi a un hombre tumbado contra unas rocas. Era evidente que llevaba mucho tiempo allí porque, a pesar de que todavía llevaba puestos el salacot y las botas, los huesos se le habían blanqueado a causa del sol.

Me acerqué con cautela al cadáver: llevaba una chaqueta, típica de safari, hecha jirones, y de un hombro le colgaba una botella que contenía un poco de agua podrida.

No me apetecía nada aproximarme demasiado, pero tenía que comprobar si llevaba algo que fuera útil, así que, con mucho cuidado, le tanteé los bolsillos y descubrí una serie de objetos magníficos:

Una brújula

Una linterna (con las pilas agotadas)

Un cuchillo de caza muy afilado

Una rebanada de bizcocho de menta Kendal (como el que se llevaron a la cima del Everest en 1953)

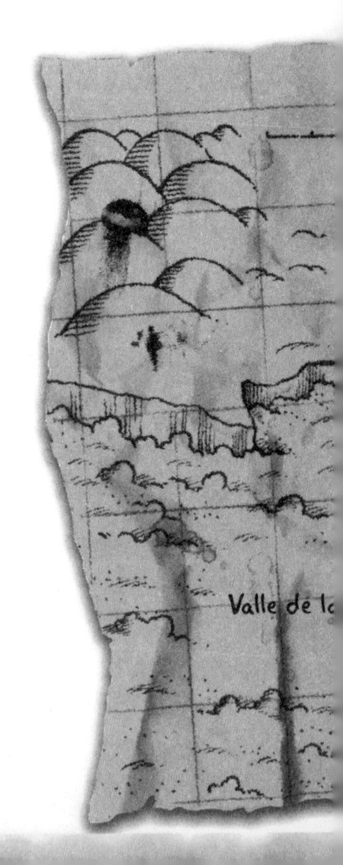

Algunas pastillas para la diarrea (¿quién sabe cuándo pueden hacer falta?)

Y lo mejor de todo: los blanquecinos dedos sostenían todavía un mapa, ¡un mapa que mostraba un camino que salía del valle por un desfiladero oculto! Por fin me encontraba a menos de una hora de camino a pie de la salida de la jungla.

¡Hogar, dulce hogar, allá voy!

Éste es el mapa que encontré:

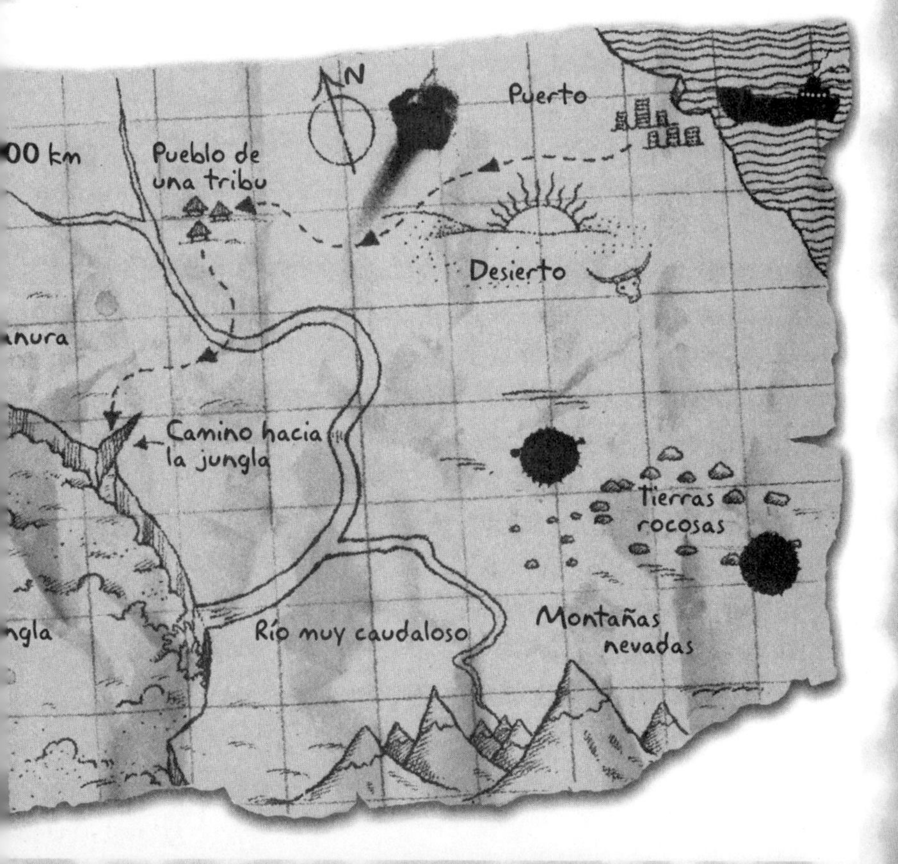

Nos encontramos otra vez

Pero, ¡ay!, no estoy en mi casa. Y, probablemente, me hallo más lejos de ella que nunca, y en una situación todavía más precaria que en el valle de la jungla. Estoy encadenado, en medio del océano, y mi vida se encuentra en manos de... bueno, dejadme que os explique qué sucedió.

Mientras recorría el camino que me conduciría al desfiladero oculto y de ahí saldría del valle de la jungla, noté que algo iba mal. Mi entrenamiento como gorila me había enseñado a percibir los pequeños signos de peligro. Por eso, cuando observé que los tallos de las plantas que tenía delante de mí estaban rotos y la maleza aplastada, todos los músculos del cuerpo se me tensaron y se me erizaron los pelos de la nuca. Avancé cauteloso, casi sin atreverme a respirar, y mientras miraba por entre las hojas hacia un claro, al pie de los riscos, vi al último personaje que habría querido encontrarme. ¡Se trataba de *Porrazo*, el gorila de espalda plateada!

Parecía más viejo, pero también más fuerte que antes y de aspecto más maligno; se hallaba en medio del camino que tenía que conducirme a la libertad.

Intenté dar un rodeo, esquivándolo, y ya volvería a encontrar el camino más adelante.

Agachándome tras los matorrales y las rocas que cubrían el suelo, me abrí paso centímetro a centímetro y bordeé el claro sin apartar los ojos de *Porrazo* ni un momento, mientras éste buscaba termitas y se rascaba el polvoriento pellejo. Justo cuando había conseguido dejarlo atrás y regresaba al camino, un animal salió de entre la maleza a mis espaldas emitiendo un aullido potente y lastimero, muy propio de él; era un gran bobo peludo, otra criatura que yo había bautizado. ¡Y ésta en concreto hacía honor a su reputación!

Sólo para que lo sepáis, os dibujo el aspecto que tienen estas bestias:

El gran bobo peludo
Es un animal de aspecto ridículo de la familia de los antílopes, pero a diferencia de la mayoría de éstos, vive en el bosque, es bastante lento y muy torpe; aunque la larga pelambrera debería servirle de camuflaje entre los árboles, tiene un color rosa

brillante y, por lo tanto, es una presa fácil para las panteras de la jungla.

El aullido provocó que *Espalda Plateada* se diera la vuelta y, al ver que yo intentaba esconderme entre los matorrales, sonrió.

—Vaya, vaya, nos encontramos otra vez, mono sin pelo —me dijo mientras se apoyaba con despreocupación contra el tronco de un árbol. Yo, después de haber pasado tanto tiempo entre los gorilas de la jungla, comprendía fácilmente sus gruñidos guturales—. Pero esta vez el poder de tus bayas rayadas no te salvará.

—Fuiste derrotado de manera justa y clara —le dije—. Un gorila que no soporta el picor de un caramelo de menta no merece ser el rey de los monos. No eres más que un matón, un embaucador, un mariquita, un...

Espalda Plateada rugió y se abalanzó contra mí. Pero yo fui más rápido, y, trepando a una rama, salté por encima de él.

—¡Hasta luego, imbécil! —le dije, riéndome, mientras corría camino abajo.

Todavía me reía cuando el pie me resbaló en una piedra suelta y me caí al suelo.

Porrazo se me tiró encima al instante.

—Conque un mariquita, ¿eh? —me dijo escupiéndome a la cara.

—¡Uuuuf! —exclamé yo sin respirar—. ¿Es que

no has oído hablar del hilo dental? Te apesta el aliento. —Decir eso fue quizá una tontería mayor que haber resbalado, porque *Porrazo*, soltando un potente rugido de indignación, me agarró con una mano, y, girando sobre sí mismo como un lanzador de disco olímpico, me lanzó al aire.

Volé por encima de la jungla y todo alrededor se convirtió en una mancha borrosa verde y azul mientras atravesaba el cielo a una velocidad que me pareció ser de ciento sesenta kilómetros por hora; distinguí retazos de cielo, y, mientras daba volteretas como si fuera un acróbata que hubiera perdido el control, vi también el mar y arena y...

¡Bom! ¡Bom! Reboté en un enorme lecho de esponjosas algas que flotaban en la superficie del mar y aterricé, sin hacerme daño, sobre la blanca arena de una playa rodeada de palmeras.

¿Dónde estoy ahora?

Me senté, mareado y aturdido después del vuelo al que me había sometido el gorila, y esperé a que la cabeza dejara de darme vueltas. Al cabo de unos momentos, me puse en pie y eché una ojeada.

¿Dónde me encontraba ahora? ¡No podía creer que ese estúpido y entrometido gorila hubiera acabado con las probabilidades de volver a mi casa! El mapa del explorador muerto ya no me servía de nada; claro que mostraba el camino de salida de la jungla, ¡pero resulta que ahora no me hallaba ahí!

Más bien parecía que estaba en una pequeña isla, en uno de cuyos extremos había muchas palmeras y en el otro, una colina rocosa. Suspiré con resignación y pensé que lo mejor sería escalarla y orientarme, así que atravesé los matorrales que la delimitaban por abajo y me dispuse a subir a la rocosa cresta. Al poco rato llegué a la cima.

Enseguida comprobé que la isla era casi completamente redonda y limitada por altos acantilados que caían directo sobre el mar, plagado de rocas. Realmente, había tenido mucha suerte

al aterrizar en la única zona de playa de la isla, que formaba una bahía oculta, casi totalmente rodeada por pronunciados y rocosos promontorios. Si alguien deseara defender esa isla, lo tendría muy fácil.

Y, precisamente, parecía que alguien tenía esa intención, porque mientras caminaba por uno de los acantilados descubrí un gran cañón sobre la entrada de la bahía, al lado del cual había un

montón de balas y una caja fuerte llena de pólvora; en el extremo del otro acantilado había otro cañón idéntico.

Miré alrededor, nervioso. Los cañones indicaban que aquel lugar estaba habitado, pero esa gente se imaginaba que tendría dificultades. ¡Y seguramente no le gustaría recibir la visita de un niño que acababa de llegar de ninguna parte! Estaba seguro de que me observaban, pues tenía la misma sensación incómoda que había notado la primera vez que entré en la jungla, hacía tantos meses. Pero en esa isla no habría ningún gorila de espalda plateada, ¿verdad?

Me dije a mí mismo que no correría ningún riesgo hasta que hubiera investigado todo ese lugar, de modo que bajé de la cima de la colina y atravesé en silencio la zona de palmeras. Entonces vi una sólida valla de madera que quedaba escondida entre la vegetación, casi invisible.

La valla, de más de tres metros de altura, estaba construida con enormes troncos, atados unos a otros; la recorrí y descubrí que en ella había una puerta de dos hojas, también de madera. La empujé con suavidad, pero estaba cerrada. Entonces observé una rendija entre los troncos y miré por ella: a la vista había un campamento polvoriento, pero sin signos de vida; estaba vacío.

Notando todavía la molesta sensación de que

no estaba solo, saqué la larga bufanda de la mochila, hice un nudo en un extremo y la lancé por encima de la valla. El nudo se quedó atascado entre dos de los afilados troncos y tiré de la bufanda para asegurarme de que estaba bien sujeta; entonces trepé por la valla y salté al campamento.

Al distinguir un edificio adosado en el extremo

más alejado, me dirigí rápidamente hacia él e intenté abrir la puerta, que también estaba cerrada; entonces miré por la ventana más sucia de todas y

¡vi una mesa repleta de comida! Había carnes curadas, salamis y rebanadas de pan, encurtidos, pasteles de carne y tartas. Se me escapó un gemido:

—¡Comida! ¡Comida de verdad!

De repente me di cuenta de lo hambriento que estaba, pues no había probado bocado desde el día anterior y mientras estuve con los gorilas solamente comí hojas, brotes y fruta. El estómago me rugió de impaciencia, y, aunque supusiera robar, decidí hacerme con un enorme bocadillo de jamón.

Por lo tanto saqué el largo cuchillo de caza que le cogí al cadáver del explorador y lo introduje en la rendija del quicio de la ventana; hice palanca presionando la hoja hacia arriba y conseguí levantar el pestillo. Sin dudarlo ni un momento y sin molestarme en comprobar si alguien me observaba, salté por la ventana y me metí en la habitación.

Un festín digno de un rey

Corrí directo hacia la mesa, acerqué una silla y me senté ante un maravilloso despliegue de comida. Agarré una hogaza de pan, sin preguntarme si era reciente o no, arranqué un trozo y lo cargué con dos lonchas de jamón; encima le puse unos encurtidos, una rodaja de tomate, salami y queso, y le di un buen mordisco.

Absolutamente delicioso, ¡pero no tenía bastante! Descubrí, entonces, una pierna de pavo fría y la devoré; me comí todo el pastel de faisán y un plato de carne que debía de ser de ballena, muy grasienta; me serví un vaso de coca-cola bien fría de una botella que había en un rincón de la habitación y, para acabar, engullí un enorme trozo de esponjoso pudin.

A continuación aparté el plato, eructé y bostecé, satisfecho. Pero como había comido más de lo previsto, me sentí muy cansado. Confiaba en que a los propietarios no les importara que me hubiera comido todo aquello, pero de cualquier manera ya era demasiado tarde para preocuparse por eso, así que decidí investigar para ver si descubría quién vivía allí.

Era evidente que aquella gente era muy sucia, pues los platos estaban sin lavar, los cuchillos desparramados sobre la mesa y el suelo lleno de trozos de comida en descomposición. El dormitorio no se hallaba en mejores condiciones; del techo colgaban filas de hamacas y por todas partes había ropa sucia que olía como una mofeta con diarrea. Y al ver sobre el alféizar de la ventana una hilera de enormes dientes de ballena, con intrincados grabados de barcos y monstruos marinos, pensé que los habitantes de aquel lugar debían de ser balleneros o pescadores.

A todo esto descubrí una puerta cerrada con muchos candados. Los propietarios se habían asegurado de que nadie la abriera, porque dichos candados cerraban una hilera de cerrojos que la recorrían. Sin embargo, aunque daba la impresión de que no había forma de entrar, percibí una abertura alargada en la parte superior de esa puerta.

No cesaba de preguntarme qué sería lo que debía guardarse con tanta seguridad. ¿Quizá se trataba de algo valioso? ¿O tal vez algo peligroso? ¡A lo mejor era un prisionero desesperado! Volví a bostezar prolongadamente y trepé a un taburete para mirar por arriba; dentro estaba muy oscuro y al principio no vi nada, pero a medida que la vista se me acostumbraba a la penumbra distinguí algunas formas imprecisas: contra la pared situada frente a la puerta se apilaban muchas cajas, rollos de tela cubiertos de polvo y de telarañas y montones de algo metálico que brillaba tenuemente; al lado de la puerta se hacinaban unos estantes repletos de atlas y mapas, y, muy cerca de la abertura por donde yo miraba, había otro rollo de tela más pequeño.

Metiendo la mano por la rendija, rocé ese tela con los dedos, y, aunque con dificultades, conseguí que se abalanzara hacia delante hasta que me cayó en la mano; mientras tiraba de ella a través de la abertura, miré hacia abajo y vi que allí dentro, justo a mis pies, había otra caja abierta, de la cual se había vertido en el suelo una cascada de monedas de oro, brazaletes, diamantes y rubíes.

¡Había encontrado un tesoro! ¡Un alijo de contrabando! Latiéndome el corazón a más no poder, me acerqué corriendo a la mesa y desplegué la pieza de tela, pero ya sabía lo que iba a contemplar:

¡Una bandera pirata!

Me temblaron las piernas y me desplomé en una silla. ¡Tenía que salir de ese lugar muy deprisa! Pero, una vez que me hube sentado, me invadió la fatiga; ignoraba si se debía a la cuantiosa comida que acababa de engullir o a causa de la excitación del vuelo desde el valle de la jungla, pero no conseguí mantener los ojos abiertos, y, a pesar del gran peligro en que me encontraba, caí en un profundísimo sueño.

Un brusco despertar

No sé cuánto tiempo estuve dormido pero, de repente, la puerta de la casa se abrió. Me desperté sobresaltado y parpadeé ante la intensa luz que provenía del exterior.

En la puerta vi las siluetas de un grupo de fornidos cuerpos que se me aproximaban con alfanjes en las manos, y tragué saliva, muy asustado; esta vez sí que estaba en un apuro muy gordo. Me encontraba ante una cuadrilla de truculentos y espeluznantes asesinos, que lucían los brazos cubiertos de brazaletes e innumerables cadenas de oro colgadas del cuello, e iban provistos de todo tipo de armas —espadas, pistolas, garrotes y dagas— desde la cabeza,

¡Vaya, me he saltado una página!

tocada con tricornio, hasta los pies, calzados con botas mugrientas.

No cabía ninguna duda: ¡estaba atrapado en una guarida de sangrientas y temibles piratas renegadas!

Nota del editor:
Aquí termina el primer volumen del diario.

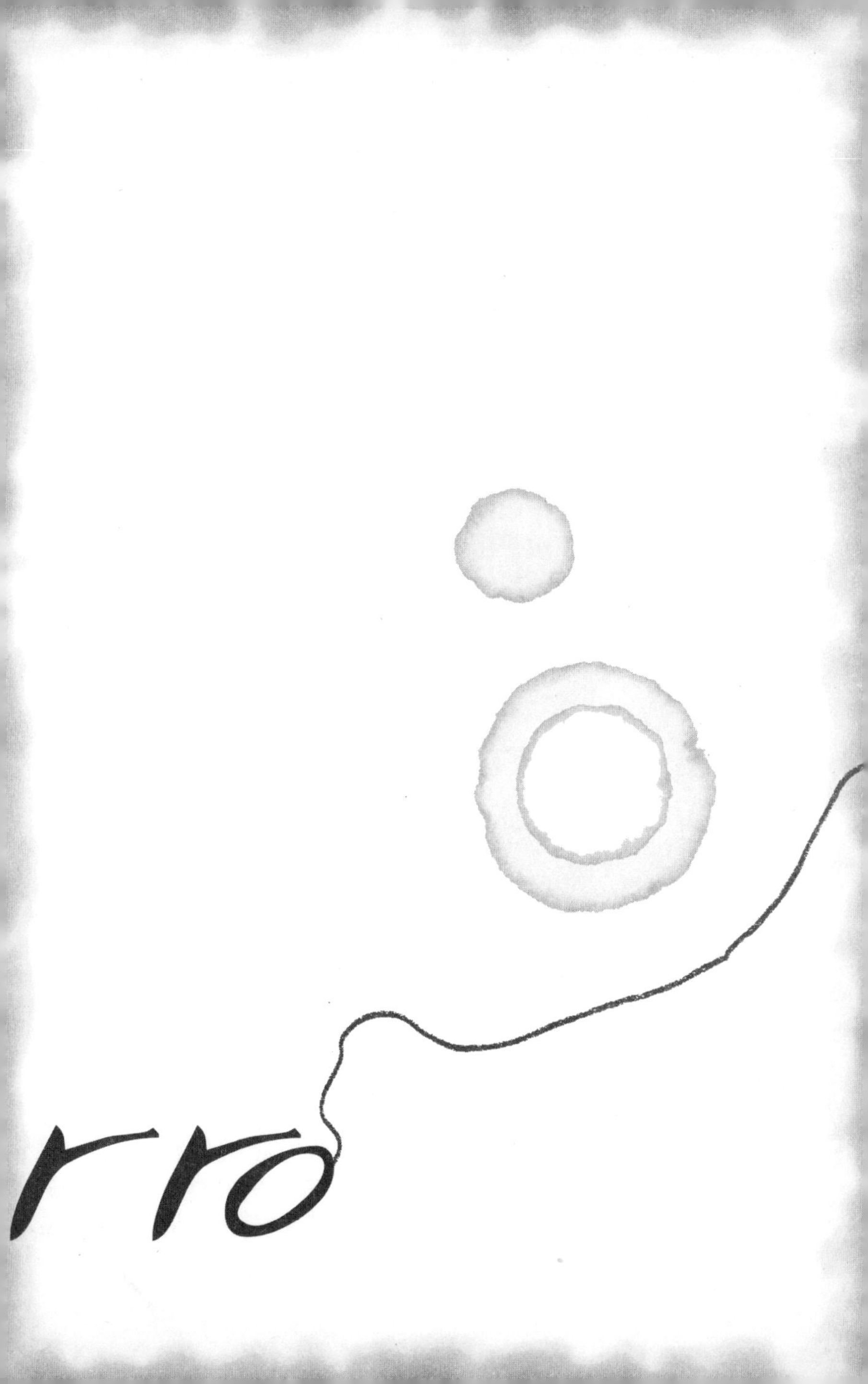
rro

He aquí algunos autógrafos, etc. que he reunido durante el viaje.

Un trozo del fortísimo hilo de color azul eléctrico de telaraña.

Enseñé a algunos gorilas a escribir su nombre (¡más o menos!)

Coge

Nanog

(Nanog)

Tira

(Tira)

Huella de un ~~Charlie~~ Charliesmallicus (pasó corriendo por encima de mi diario).

¡¡Cuidado!!
Gotas de
veneno de la
serpiente
gigante. ¡No se
han de lamer!

Esto es
un trozo
de la
chaqueta
del
explorador.

¡¡Ésta debe
de ser la firma de
Porrazo!! ¡Una mañana
lo descubrí mirando mi
diario y tal vez la hizo
entonces!

¡Éste es mi diseño para otro cromo de animales salvajes!